2006

Prière pour la protection
La lumière de Dieu m'entoure.
L'amour de Dieu m'enveloppe.
La puissance de Dieu me protège.
La présence de Dieu veille sur moi
Où que je sois Dieu est là !

LA SOURCE DES LARMES

Jean Vanier

LA SOURCE DES LARMES

Une retraite d'alliance

P*arole et* **S***ilence*

Pour toute information concernant les Éditions Parole et Silence, vous pouvez écrire à :

Éditions Parole et Silence
60, rue de Rome
F - 75008 Paris

ou
Le Muveran
CH - 1888 Les Plans sur Bex

ISBN 2-84573-089-6

Ce petit livre a vu le jour parce qu'à la retraite de l'Alliance de l'Arche, donnée à Saint-Domingue, quelques personnes ont été touchées par ces paroles et les ont transcrites. Anne-Sophie Andreu, une amie de l'Arche, les a lues et en a été également touchée. Elle a travaillé ce texte avec ses compétences et sa propre vie spirituelle pour le mettre dans sa forme actuelle, plus lisible, plus simple, plus adaptée à une lecture méditative. Je lui en suis très reconnaissant.

Mon espérance est que cette spiritualité au cœur de nos communautés de l'Arche et de Foi et Lumière appelle d'autres à suivre Jésus sur le chemin de la compassion. En cheminant avec des personnes faibles et démunies, ils découvriront une présence de Jésus et deviendront son ami. Ils y trouveront une nouvelle force et une nouvelle liberté.

Jean Vanier

Préface

La source des larmes

Où se trouve la source des larmes ? D'où viennent ces eaux qui affleurent soudain à la surface de nous-mêmes et que nous ne pouvons pas retenir ? Eau brûlante de la douleur, eau amère du remords, eau douce de la compassion, eau apaisante du repentir et de la consolation, eau pétillante de la joie… les larmes jaillissent quand quelque chose en nous est touché très profondément. Quand nous sommes ébranlés par la souffrance bien sûr, brisés par elle, mais aussi quand nous sommes bouleversés par la douleur d'un autre, émus par sa faiblesse, saisis par sa détresse ou quand nous sommes éblouis par les retrouvailles, par l'amour reçu, par le pardon donné. Quand nos cœurs de pierre se fissurent, il en coule de l'eau, comme du rocher de Mériba a coulé de l'eau dans le désert (Ex 17, 6). D'où naissent les larmes, sinon du plus profond du secret de notre être ?

C'est vers cette source et vers ce secret que Jean Vanier dans cette retraite donnée en Amérique latine à des assistants de l'Arche, veut tous nous entraîner, car rien de ce qui est dit ici ne s'adresse exclusivement à eux. En six journées qui sont autant de chapitres, placé chacun sous une invocation biblique, il nous propose au rythme de trois méditations par jour de suivre de fait un chemin vers nous-mêmes. Non pas un chemin de tristesse ou de désolation mais un chemin de vérité, de consolation et d'espérance. Car auprès de la source, il y a de toute éternité Quelqu'un qui nous attend.

Ce n'est pas un hasard si la rencontre du Christ avec la Samaritaine, cette rencontre où il promet, « l' eau vivante » qui étanche à jamais la soif et devient en celui qui la boit source «jaillissant en vie éternelle », se trouve au centre du livre, au troisième jour de la retraite. C'est à partir de cette rencontre où nous serons nommés dans notre vérité, où Dieu se découvre, que tout commence ou re-commence, en effet.

C'est à partir de là que nous pourrons quitter les rivages connus et entrer peu à peu dans le mystère, que nous pourrons nous aimer et aimer les autres, que nous serons capables - quand nous aurons d'abord tout fait pour la combattre - d' accueillir la souffrance, la nôtre et celle des autres. C'est à partir de là que nous pourrons apprendre l'espérance, entrer dans la confiance, nous ouvrir à la tendresse. Et c'est ce vers quoi nous guident les trois derniers chapitres du livre : du commandement essentiel : «Aimez-vous les uns les autres comme je vous ai aimé » (Jn 4,10), au mystère de la croix « Mon Dieu, mon Dieu, pourquoi m'as-tu abandonné ? » (Mc 15, 34), jusqu'au rivage des Béatitudes qui clôt le livre: « Bienheureux les doux » (Mt 5, 4).

Mais pour aller au rendez-vous dont nous ne savons peut-être pas qu'il nous a été fixé à nous aussi, il nous faut d'abord accepter de nous mettre à l'écoute : entendre l'appel, et c'est par là que s'ouvre le livre. « Il me faut aujourd'hui demeurer chez toi »(Lc 19, 5) dit le Christ à Zachée dans le premier chapitre, mais l' appel est différent pour chacun de nous.

L'appel de Zachée n'est ni celui de Pierre ni celui du jeune homme riche. L'appel adressé à Jean Vanier comme aux assistants de l'Arche qui ont choisi de partager la vie de personnes avec un handicap mental est encore différent, comme il est différent, ne nous y trompons pas, pour chacun de ces assistants. Chaque appel, chaque vocation – c'est le même mot - s'inscrit en effet dans une histoire unique, superposable à aucune autre, une histoire intime et personnelle où chacun est invité, à sa façon, à son rythme, avec son don propre.

Cet appel unique que nous seuls pouvons entendre et auquel nous seuls pouvons répondre ne nous est pourtant pas adressé une seule fois et il nous faut l'entendre ou le réentendre toujours de nouveau si nous ne voulons pas nous arrêter en chemin. Car le chemin vers nous-mêmes et vers Celui qui nous attend est toujours à reprendre. Notre vie est toujours à relire, à apaiser, à réinterpréter à sa lumière, cette même lumière qui guidera alors nos pas quand nous saurons voir Celui qui pourtant marchait déjà dans l'ombre à nos côtés.

Car chacun est appelé dans sa très précieuse unicité, non pas d'abord à « faire quelque chose » dit Jean Vanier mais à se reconnaître d'abord comme le bien-aimé. C'est le thème du deuxième chapitre qui reprend la phrase d'Isaïe : « Car, tu as du prix à mes yeux et moi je t'aime » (Is 43, 4). Mais cette reconnaissance de soi, mystérieusement, ne peut aller qu'avec la reconnaissance de l'autre, comme si l'amour enfin reçu, accepté, accueilli, ouvrait les yeux.

Chacun est appelé alors aussi à reconnaître le don de l'autre et en particulier le don du pauvre, du petit, du délaissé, de celui que nos sociétés rejettent parce que, quelle qu'en soit la cause, il ne peut pas suivre le rythme. À vivre à l'Arche avec les personnes handicapées mentales, à partager avec eux et leurs parents les joies et les peines, les soucis communs dans les communautés Foi et lumière ou à participer à toutes ces communautés qui se sont construites autour de la présence du pauvre, on découvre en effet une bien mystérieuse vérité qui est la vérité même de l'Évangile. Il ne s'agit pas seulement d'agir avec générosité ou de faire du bien aux pauvres mais de devenir leur ami. De découvrir dans l'alliance avec eux que ce sont eux qui nous éveillent et nous guérissent, qui nous précèdent et nous conduisent sur la voie de la vie.

C'est ce que rappelait avec force le Cardinal Etchegaray aux jeunes du monde entier rassemblés à Rome en août 2000 : «L'Église nous demande, disait-il, d'être attentifs aux petits, aux humbles, aux pauvres, à tous ceux dont le Christ avec jubilation a reconnu qu'ils voient ce qui reste caché aux savants et aux intelligents (cf. Mt 11, 25). N'oubliez jamais ce critère évangélique, c'est le plus précieux, le plus sûr, le plus concret aussi dans votre désir de savoir ce qu'attend le Christ de votre génération. Seul celui qui a une âme de pauvre est assez détaché, dépouillé de tout intérêt, pour maîtriser le cours de l'histoire et, au besoin le rectifier. Ce pli, le plus beau de votre engagement spirituel est clair : vivre pauvre comme le Christ, vivre avec les pauvres pour vivre avec le Christ. Le renouveau de l'Église s'est fait chaque fois qu'elle a osé faire alliance avec les pauvres. »

La voie royale de l'Évangile nous répète aussi Jean Vanier est ce chemin obscur de la rencontre avec les pauvres, les mal-aimés, ceux que notre route croise bien sûr mais aussi celui que nous portons en nous, comme un enfant blessé que nous ne voulons plus entendre. La grande lumière du midi qui éclaire la rencontre du Christ et de la Samaritaine dans ce troisième chapitre « Si tu savais le don de Dieu » (Jn. 4, 10) dont nous avons dit qu'il était comme le pivot du livre, éclaire aussi sa blessure, sa pauvreté. Cette part souffrante d'elle-même qu'elle cachait aux autres comme à elle et qu'elle peut dire enfin simplement, en toute vérité, à Celui qui, assis au bord du puits, la réchauffe et l'éclaire de cette toute autre lumière qui rend la réconciliation avec soi et les autres possible. Car ce n'est qu'après avoir compris combien on était aimé, après avoir reconnu le « don de Dieu» sur soi et sur les autres, qu'on peut entendre en vérité le commandement de l'amour réciproque et entrer dans l'alliance.

Le chemin vers soi, comme le chemin vers les autres est le chemin de l'alliance. L'histoire de Dieu avec l'humanité est l'histoire d'une alliance. Dans ces retraites où les assistants de l'Arche viennent régulièrement relire leur vie, réentendre l'appel, entrer en eux-mêmes pour s'accueillir eux-mêmes dans la nudité de leur vérité, ceux qui le souhaitent peuvent aussi «annoncer l'alliance ». C'est-à-dire reconnaître dans une cérémonie très simple, au centre de laquelle se trouve une célébration du lavement des pieds, quelle forme particulière cette alliance fondamentale a prise dans leur vie. Ils reconnaissent que ce lien que Dieu tisse avec nous et entre nous et les autres s'exprime pour eux dans ce choix particulier qu'est leur vie à l'Arche.

Et c'est sans doute la question à laquelle nous sommes invités nous aussi à répondre à la fin de notre lecture et de notre méditation. Quelle est « notre » alliance ? Auprès de qui, avec qui, comment, à quoi, avons-nous été appelés ?

Peut-être le savons-nous et avons-nous répondu depuis bien longtemps ou peut-être n'avons-nous pas encore pris conscience que nous aussi nous étions appelés. Peut-être sommes-nous en recherche de quelque chose qui donne sens à notre vie, ou peut-être sommes nous trop riches, trop pleins de projets ou au contraire trop accablés pour que nous croyions possible de rien entendre. Qu'importe ! Ce que nous dit Jean Vanier, c'est qu'il est toujours temps de prendre ou de reprendre le chemin, qu'il ne faut pas avoir peur de nous-mêmes, des autres ou de la vie. Qui que nous soyons, dans quelque situation que nous nous débattions, nous sommes attendus comme cet hôte de marque qui manque à la fête tant qu'il reste à l'écart. Fils aîné ou fils prodigue, nous sommes tous invités au repas de l'alliance et il ne tient qu'à nous d'entrer à notre tour dans la danse.

Anne-Sophie Andreu

Introduction

JÉSUS PLEURE

Jésus entre à Jérusalem et pleure.
Les pleurs de Jésus sont très mystérieux.
Il voit ce qui va se passer,
il voit que Jérusalem va être détruite,
que la ville sainte deviendra un lieu de guerre et de souffrance.
Jésus pleure: « Si tu avais compris le message de paix... »
Cette semaine, nous allons essayer de pénétrer un peu dans ce message de paix de Jésus, en découvrant le don de Dieu, le secret de l'Évangile, ce grand secret que, souvent, nous ignorons ou voulons ignorer.

Jésus pleure sur notre monde.
Il pleure sur Haïti,
il pleure sur nos pays où règnent la division, l'inégalité, l'exclusion.
Pour pénétrer le mystère de l'Arche, il faut comprendre le mystère des larmes de Jésus.
Dans nos communautés de l'Arche, tant de personnes que nous avons accueillies avaient été mises à l'écart... Elles ont beaucoup pleuré.
L'Arche a été bâtie sur leurs larmes.

Luisito est très lourdement handicapé. Avant d'être accueilli à l'Arche, il vivait dans une petite hutte à même le trottoir, près d'une église. Quand sa mère est morte, il est resté là, seul. Des voisines s'en occupaient un peu, le nourrissaient, mais ne s'approchaient pas trop de lui parce qu'il était tout tordu, sen-

tait mauvais, ne pouvait ni marcher, ni parler. Il gênait tout le monde, à l'église comme ailleurs.
C'est lui le fondateur de l'Arche à Saint-Domingue et c'est si beau de le voir aujourd'hui !

Claudia vient de l'asile de San Felipe en Honduras. Aveugle et autiste, elle a été abandonnée toute petite. Les premières années à la Casa Nazareth, elle était très perturbée, très angoissée et criait beaucoup. Maintenant, elle s'est apaisée, elle travaille à l'atelier, met la table... Quand je l'ai vue il y a deux ans, à mon dernier passage, elle chantonnait tout le temps, elle souriait. Je lui ai demandé : « Est-ce que je peux te poser une question ? »
– « Si, Juan »
– « Claudia, pourquoi es-tu si heureuse ? »
Elle a répondu : « Dios. »
J'ai trouvé cela très beau : cette petite fille abandonnée, rejetée, dont personne ne voulait, était devenue comme l'amie de Dieu.

Que nous vivions à l'Arche, que nous soyons ami de l'Arche, membre du conseil d'administration ou prêtre de la communauté, nous avons un très grand privilège, celui d'être proche de Luisito, de Claudia, des petits et des pauvres de ce monde, et de pouvoir toucher Jésus physiquement.
Car c'est cela le mystère, c'est cela le secret de l'Évangile :
Luisito rend Jésus physiquement présent.
C'est un peu fou, mais beaucoup de ce que je vais dire sera fou, parce que l'Évangile est fou !

Ce qu'il nous dit est tellement extraordinaire, tellement étonnant qu'il nous est difficile d'y croire, aussi difficile que pour Marie de croire que ce petit enfant qu'elle portait dans son sein, puis dans ses bras, était Dieu.
Et ce petit enfant avait besoin de Marie, besoin qu'elle le nourrisse, le réchauffe et, plus important encore, besoin qu'elle l'aime. Un petit enfant a besoin d'être aimé et le Verbe qui s'est fait chair avait besoin d'être aimé.
Le mystère dans lequel nous allons essayer de pénétrer cette semaine, c'est celui aussi de la petitesse de Dieu.

Il nous est difficile de croire à cette petitesse de Dieu parce que
Dieu pour nous est d'abord le Tout-Puissant,
Celui qui a tout créé :
le ciel et la terre, l'eau et toutes les créatures marines,
l'immense monde vivant des animaux et des plantes,
des hommes et des femmes.

Notre Dieu est si grand !

Quand on regarde les étoiles, la distance entre les étoiles, quand on imagine les soleils derrière les soleils, les galaxies derrière les galaxies, on peut sentir un peu de cette immensité de Dieu.

Et c'est ce Dieu qui se fait chair et devient un petit enfant.

Dans l'Évangile de Jean, Philippe dit à Jésus : « Seigneur, montre-nous le Père, et cela nous suffit » et Jésus répond : « Voilà si longtemps que je suis avec vous et tu ne me connais pas, Philippe ? Qui m'a vu a vu le Père. » (Jn 14, 9)

Celui qui voit Jésus, voit Dieu ;
celui qui touche Jésus touche Dieu ;
Marie, qui porte Jésus dans ses bras, porte Dieu.
C'est la folie de l'Incarnation.

Et cette folie de l'Incarnation se prolonge : « Ce que vous avez fait à l'un de ces plus petits de mes frères, c'est à moi que vous l'avez fait. » (Mt 25,40)

Celui qui visite le prisonnier, qui habille celui qui est nu,
qui accueille l'étranger,
c'est Dieu lui-même qu'il visite, qu'il habille, qu'il accueille.

Nous allons pénétrer dans ce mystère qui est un peu le secret de l'Évangile, mais nous ne pourrons y pénétrer en vérité que si tout notre être est à l'écoute.

Ce que nous allons entendre en effet est trop étrange pour que nous puissions le saisir d'emblée, sans l'aide de l'Esprit. Pour l'entendre en vérité, il faut que nous nous placions dans la lumière de Celui qui seul a le pouvoir d'enseigner.

L'Esprit Saint fera pénétrer l'une ou l'autre parole au plus profond de notre être.

Soyons donc très attentifs, non pas à ma parole
mais à la Parole de Dieu qui se révèle ainsi en chacun de nous.

s à l'écoute de l'Évangile, de cette folie de Dieu,
ute de l'Esprit Saint qui habite en nous.

re d'Osée, nous lisons :
rquoi je vais la séduire,
je la conduirai au désert
et je parlerai à son cœur. » (Os 2, 16)
C'est un peu le sens de notre retraite.
Nous sommes à l'écart... Ce n'est pas exactement le désert mais cela peut le devenir, ou peut-être y sommes-nous déjà et c'est bien. C'est le signe que Jésus nous a séduits, nous y a conduits et qu'il veut nous parler.
Jésus veut parler à notre cœur, non pas à notre tête,
alors ouvrons notre cœur tout grand, pour accueillir ce qu'il veut nous donner.

Le prophète continue : « Je lui rendrai ses vignobles », c'est-à-dire, je lui rendrai sa fécondité, je lui montrerai comme sa vie est féconde, « et je ferai du val d'Akor une porte d'espérance. »

Oui, notre vie peut être féconde,
car Jésus nous appelle à porter beaucoup de fruits, à donner la vie. C'est ce que nous avons tendance à oublier parce que la fécondité nous fait un peu peur.
Nous aimons « faire » des choses,
mais nous avons peur de donner la vie et de porter ceux et celles à qui nous avons redonné vie.

Nous pouvons aussi avoir peur d'affronter le réel,
parce qu'il est souvent douloureux ou décevant ;
ainsi, nous nous réfugions dans des rêves, nous nous évadons dans des illusions,
nous nous enfermons dans des théories, nous nous gorgeons de distractions.
Aux États-unis, actuellement, on regarde la télévision de 28 à 32 heures en moyenne par semaine.
C'est tout un monde d'illusions et de rêves qui a pris le pas sur le monde réel.
Nous fuyons ainsi tous, plus ou moins, notre val d'Akor,

ce lieu de notre souffrance la plus intime dont Dieu nous dit pourtant que si nous y pénétrons avec lui,
il deviendra porte d'espérance.

Le val d'Akor, c'est une vallée près de Jéricho,
faite de gorges dangereuses, pleines de serpents, de scorpions, d'énormes araignées et de bêtes sauvages, le lieu de la peur dans lequel il fallait éviter de pénétrer, le lieu dont tous se détournaient, que tous évitaient.
Or, Dieu dit que cette vallée du malheur va devenir une porte d'espérance. C'est très mystérieux et plein de promesse.

En chacun de nous, il y a un val d'Akor,
des choses en nous que nous ne voulons pas regarder, dont nous ne voulons ni nous souvenir ni nous approcher, des choses que nous contournons, dont nous nous détournons parce qu'elles nous font trop mal et nous avons tous peur de la souffrance.
Il y a des gens aussi que nous ne voulons pas voir, que nous évitons parce qu'ils nous gênent; ils sont trop différents, trop souffrants et leur souffrance nous fait peur.
Or Dieu dit: si tu pénètres dans ce lieu que tu essaies d'éviter, il deviendra une «porte d'espérance.

Si tu t'approches de ceux que l'on rejette, que l'on évite, que l'on exclut, que l'on écrase ou que l'on cache dans des asiles ou des institutions, parce qu'on en a honte et qu'ils dérangent, alors, tu découvriras qu'ils sont «porte d'espérance».
De même, si tu t'approches en toi de ce qui te fait souffrir ou te fait peur, des blocages, des duretés, des résistances, des choses dont tu as honte et que tu ne veux pas voir, si tu oses pénétrer avec moi dans ton val d'Akor personnel, dit le Seigneur, alors il deviendra «porte d'espérance».

Seuls, nous ne trouverons pas le chemin.
C'est avec Jésus qu'il nous faut avancer,
main dans la main.

Ainsi, en ce début de retraite,
mettons notre main dans celle de Jésus et demandons-lui de nous conduire, de nous révéler le secret de l'Évangile.

Premier jour

« IL ME FAUT AUJOURD'HUI DEMEURER CHEZ TOI »

ENTENDRE L'APPEL

Jésus pleure sur Haïti.
Jésus pleure sur Saint-Domingue.
Jésus pleure sur notre monde.
Il y a tant d'inégalités, tant de violence, tant de haine.

Jésus est venu nous apporter la paix, faire de l'humanité un seul corps dans lequel chacun trouverait sa place.
Et nous, nous avons fait de notre terre tout autre chose:
un lieu de rivalités, un lieu de guerres entre nations, entre races, entre religions, entre classes sociales.

Oui, notre terre est un lieu de violence où chacun s'arme pour se défendre, pour défendre sa famille, sa classe, sa religion, sa nation...
pour se défendre lui-même.
Les armements nucléaires, les chars de combat, les mitraillettes sont les signes visibles de ces armements personnels invisibles que nous possédons tous et que nous mettons immédiatement en action dès que nous nous croyons ou nous nous sentons menacés.
Nous avons tellement peur qu'on nous rabaisse, qu'on nous méprise, qu'on ne nous donne pas notre dû...

C'est la même violence, la même haine que nous décrit la Genèse quand Dieu va appeler Noé.

« Yahvé vit que la méchanceté de l'homme était grande sur la terre et que son cœur ne formait que de mauvais desseins à longueur de journées.
Yahvé se repentit d'avoir fait l'homme sur la terre et il s'affligea en son cœur. » (Gn 6, 5)

Il pleure,
comme Jésus pleure sur Jérusalem.

Et un peu plus loin nous lisons : « La terre se pervertit au regard de Dieu et elle se remplit de violence. Dieu regarda la terre : elle était pervertie, car toute chair avait une conduite perverse sur la terre. » (Gn 6, 11)

C'est la même violence qui traverse l'histoire,
le même processus de haine qui se répète de siècles en siècles,
nourri par notre peur et notre vulnérabilité.

Car si nous sommes violents, c'est parce qu'avant tout nous sommes vulnérables.
La violence est la réponse de notre cœur blessé à l'incompréhension, au rejet, au manque d'amour.
Dès que nous sommes mal aimés, rejetés,
la blessure s'ouvre, nous fait mal
et nous déployons alors tout notre système de défense.

Je me souviens :
je visitais une prison de haute sécurité au Canada, à Kingston,
et je parlais aux détenus des hommes et des femmes de ma communauté ;
je parlais de leurs souffrances, de leur vulnérabilité, de leurs dépressions, de leurs échecs, de leurs gestes d'auto mutilation, de leur enfance brisée et des douleurs qui l'ont marquée…
Quand je vais dans une prison, je parle souvent des hommes et des femmes de ma communauté, parce que je sais qu'en parlant d'eux, je parle aussi de ceux qui sont devant moi,
parce que c'est aussi leur histoire,
une histoire de rejet, d'insécurité, d'échec et de deuil.

À la fin de la conférence, un homme s'est levé.
Il s'est mis à hurler:
«Toi, tu as eu la vie facile, tu ne comprends pas ce que nous, nous vivons.
Moi, quand j'avais quatre ans, j'ai vu ma mère violée sous mes yeux,
à sept ans, j'ai été vendu par mon père à des homosexuels,
à treize ans, les "hommes en bleu" sont venus me chercher...
Et si quelqu'un vient encore dans cette prison pour nous parler de l'amour, je lui fracasserai la tête à coups de pieds.»

Je l'écoutais sans savoir quoi dire.
C'était comme s'il m'avait mis le dos au mur,
je priais.

Puis je lui ai dit: «C'est vrai, j'ai eu la vie facile,
c'est vrai, je ne connais pas votre vie,
mais ce que je sais, c'est que tout ce que tu viens de dire est très important parce qu'à l'extérieur, nous vous jugeons trop souvent sans connaître vos souffrances, votre histoire, votre enfance.
Est-ce que tu m'autorises à dire à l'extérieur ce que tu m'as dit aujourd'hui?»

Il a répondu: «Oui».

J'ai ajouté alors: «Vous, vous avez des choses à nous dire, mais un jour, vous sortirez d'ici et vous avez peut-être aussi besoin d'entendre certaines choses.»

Puis, j'ai demandé à cet homme si je pouvais revenir à la prison quand je passerais de nouveau dans la région; il m'a répondu «oui».
Après les questions qui marquaient la fin de la conférence,
je suis allé vers lui,
je lui ai serré la main et je lui ai demandé son nom et d'où il venait.
Soudainement, l'inspiration m'est venue de lui demander s'il était marié et comme il me répondait «oui», je lui ai dit: «Parle-moi de ta femme.»

Alors cet homme si violent, qui avait tant de haine en lui,
s'est mis à pleurer.
À travers ses larmes, il m'a parlé de sa femme :
elle était en fauteuil roulant, vivait à Montréal
et il ne l'avait pas vue depuis deux ans.

Je me trouvais devant un petit enfant qui pleurait, assoiffé de tendresse,
un homme d'une immense vulnérabilité.

En parlant d'amour, de communion, de tendresse,
de tout ce dont il avait été privé,
j'avais ravivé toutes ses blessures
et cela lui était insupportable.

C'est lui qui m'a appris que la source des larmes et de la violence n'est pas toujours l'orgueil ou l'avidité ou la peur de manquer...
mais quelque chose de plus profond :
une façon de se défendre contre l'intolérable,
de se protéger de sa propre vulnérabilité, de sa peur de souffrir.

Et cela, Dieu le sait.

Alors, sur notre terre écrasée par la violence,
Dieu appelle des hommes et des femmes à créer de nouveaux lieux où l'on n'ait pas besoin de se défendre,
des lieux de paix, d'amour, de communion
où chacun puisse être accueilli dans sa faiblesse, sa fragilité, sa vulnérabilité.

Ce que l'Église devrait être partout.
Mais l'Église est faite d'hommes et de femmes
et on peut lire en elle aussi une histoire de pouvoir et de violence.
Il faut sans cesse qu'elle œuvre pour revenir à l'essentiel,
au cœur de ce qu'elle est,
et ne pas se laisser corrompre.

Jésus avait demandé à ses disciples de se laver les pieds les uns les autres…

À la première séance du concile Vatican II, les cardinaux sont arrivés avec des traînes de quatre mètres tenues par des enfants de chœur parce que les cardinaux sont les princes de l'Église… Puis la simplicité l'a emporté.

Pendant longtemps, certains théologiens se sont demandé si les esclaves avaient une âme ; très peu d'entre eux se sont élevés contre l'esclavage.

Déjà, comme nous l'apprend la lettre de saint Jacques, quelques années à peine après la mort de Jésus, les choses commencent à se gâter dans les communautés chrétiennes.

On met les gens bien habillés à la première place des assemblées et les pauvres en haillons tout au fond pour qu'ils ne gênent pas. (Jc 2, 4-9)

Saint Jacques est blessé, en colère même :

Jésus est mort parce qu'il a mis les pauvres au cœur de la communauté et progressivement la communauté les exclut.

Mais Dieu sans cesse appelle,
à chaque nouvelle violence,
un appel toujours nouveau
et pourtant toujours le même.

Avant le déluge, c'est ainsi qu'Il avait appelé Noé : « Un homme juste, intègre parmi ses contemporains, et qui marchait avec Dieu. » (Gn 6, 9)

Il nous faut prendre conscience de la violence de notre monde
comme de celle de notre cœur
mais il nous faut aussi écouter l'appel incessant de Dieu.

En beaucoup de pays est institué un dimanche des vocations.
Ce jour-là, on demande aux chrétiens de prier
pour les vocations de prêtres, de religieux, de religieuses.
Cela est important.

Mais d'autres n'ont-il pas une vocation aussi,
ne sont-ils pas aussi appelés ?
Chacun n'a-t-il pas sa voie ?

Le mariage n'est-il pas une vocation ?
Si, et c'est une vocation si difficile
qu'il faut toute la force et l'appel de Dieu pour la vivre.
C'est pour cela qu'il y a un sacrement du corps qui est très mystérieux parce qu'il est comme l'union du Christ et de l'Église (Ep 5, 32).
Les personnes qui ont un handicap n'ont-elles pas de vocation ?
Si, et saint Paul nous le rappelle avec force quand il nous dit :
« Dieu a choisi les pauvres et les faibles de ce monde pour confondre les sages et les forts,
Ce qui est sans naissance et ce que l'on méprise, voilà ce que Dieu a choisi. » (1Co 1, 27-28)

C'est vrai qu'il est important qu'il y ait un dimanche où l'Église entière prie pour les vocations de prêtres et de religieux, mais il est dangereux d'identifier la vocation au sacerdoce et à la vie religieuse.
Il n'y a pas ceux qui ont une vocation et... les autres,
les laissés pour compte.

Dieu sans cesse appelle chacun,
dans sa propre voie, avec son don unique,
à construire à son tour, comme Noé, une arche,
une communauté d'amour,
à opposer la paix à la guerre,
l'amour à la haine,
l'union à la désunion,
l'accueil à l'exclusion.

Demandons à Jésus de nous aider à entendre
cet appel de Dieu en nous.

RECONNAÎTRE SA VOCATION

C'est vrai, Dieu sans cesse appelle,
et il ne faut pas que nous nous croyions exclus de son appel, parce que nous nous sentons trop petits ou sans importance.
Car Dieu appelle d'abord non pas les plus savants,
les plus puissants ou les plus forts,
mais toujours les plus petits, les plus pauvres, les fous et les faibles, les méprisés.

Ce choix que Dieu fait des plus petits se voit dans toute l'Écriture Sainte.
Regardons l'histoire de David.
Samuel est envoyé par Dieu pour consacrer le roi qu'il s'est choisi parmi les fils de Jessé de Bethléem.
Jessé lui présente à tour de rôle ses sept fils, tous grands, forts, instruits,
mais Yahvé ne choisit aucun de ceux-là.
On fait appeler alors le dernier, David, le plus petit qui est aux champs à garder les troupeaux,
et c'est lui que choisit Yahvé. (1S 16, 1-13)

Tout comme cette histoire de sainte Marguerite Marie que j'aime beaucoup.
Un jour, elle dit à Jésus : « Je ne suis pas digne de toutes ces révélations,
tu n'aurais pas dû me choisir,
je me sens si pauvre ! »

Et Jésus lui répond : « Si j'en avais trouvé une plus pauvre que toi, c'est elle que j'aurais choisie. »

Le choix de Dieu n'est vraiment pas celui des hommes.

Voyez Jérémie, choisi comme prophète et qui ne sait pas parler ou ce pauvre Moïse qui bégaie.
C'est difficile pour un prophète de bégayer !

Ou encore Marie-Madeleine, une femme livrée à la prostitution. Jésus l'a appelée et l'a tant aimée qu'elle a une très place spéciale dans les évangiles.

Ou bien la Samaritaine, la seule personne à qui Jésus révèle qu'il est le Messie.
Devant les autres, il fait les œuvres du Messie, annonce avec force la parole de Dieu, mais jamais il ne dit qu'il est le Messie.
C'est le Père qui révèle à Pierre et aux apôtres que Jésus est le Christ.

Or cette femme à qui est ainsi faite la révélation
n'est même pas juive.
Elle fait partie d'une sorte de secte que les juifs considéraient à peu près comme aujourd'hui nous considérons les témoins de Jéhovah.

Cette Samaritaine est une femme de mauvaise vie qui a vécu avec cinq hommes et n'est pas mariée avec le dernier,
Elle a peut-être beaucoup d'enfants dont elle ne sait pas forcément qui est le père.

Une femme très blessée et très pauvre, pleine de culpabilité,
qui ne sait pas aimer parce qu'elle n'est pas aimée,
et qu'elle est sûre que Dieu la rejette comme les autres la rejettent.

Or c'est cette femme qui dit à Jésus : « Je sais que le Messie, celui qu'on nomme le Christ, doit venir. Quand il viendra, il nous annoncera tout. »
Et Jésus lui répond : « Je le suis, moi qui te parle. » (Jn 4, 25-26)

Le choix de Dieu n'est pas celui des hommes.
Il choisit d'abord les pauvres,
ceux qui reconnaissent qu'ils sont pauvres, qu'ils n'ont pas telle ou telle capacité,
car la pauvreté, ce n'est pas seulement la pauvreté matérielle,
c'est être dépouillé, être impuissant,
se sentir démuni.

Une mère qui vient de perdre son enfant est une pauvre,
une femme abandonnée par son mari est une pauvre,
un homme qui perd son travail est un pauvre,
celui qui apprend qu'il a un cancer est un pauvre,
celui qui vieillit et s'affaiblit est un pauvre ;
chacun de nous,
quand il se sent désarmé, faible, incapable et qu'il l'admet,
est un pauvre.

Le drame est que nous refusions d'admettre notre pauvreté,
de peur d'être rejetés.
On nous a appris qu'il fallait être le meilleur, le plus fort, le plus solide, celui qui gagne,
car les pauvres, les faibles, les fragiles, les mal aimés,
les démunis sont méprisés ;
la société les met de côté.
Alors, nous trichons aussi longtemps que nous le pouvons. Nous prétendons être forts et capables, et nous vivons d'apparence.

Il nous faut entendre en nous Dieu qui dit : « Tu n'as pas besoin de faire semblant,
tu n'as pas besoin de te cacher,
tu peux être toi-même.
Je ne t'ai pas appelé à l'Arche d'abord pour aider les pauvres,
ni pour que tu aies un bon salaire et des heures de travail convenables,
ni pour que tu montres à tous comme tu es généreux ou efficace,
je t'ai appelé parce que tu es un pauvre, comme ceux que tu es venu servir,
et parce que c'est aux pauvres que j'ai promis le Royaume. »

Nous sommes peut-être venus à l'Arche pour plein de bonnes raisons,
mais nous ne pourrons y rester que si nous découvrons que c'est Dieu lui-même qui nous y a appelés.

Nous avons peut-être accepté de faire partie du Conseil d'administration pour plein de bonnes raisons,
ou tout simplement parce que cela fait bien sur une carte de visite – il y a des gens qui font collection de Conseils d'administration ! –
mais nous ne pourrons y rester que si nous découvrons que c'est Dieu lui-même qui nous y a appelés.
La réalité de l'Arche est si pauvre, si petite.

À Béthanie, en Cisjordanie, nous avions commencé une communauté avec un Conseil d'administration merveilleux !
À la première réunion, ils étaient douze palestiniens, musulmans ou chrétiens.
À la réunion suivante, ils étaient neuf,
et puis petit à petit ils ont disparu,
et il n'en est resté qu'un...

Ils avaient rêvé de faire partie d'une grande institution, d'aider de nombreuses personnes de trouver beaucoup d'argent, de discuter avec les ministres et les gouvernements parce qu'ils auraient apporté des solutions,
et ils découvraient à leur tour ce que découvrent tous les Conseils de l'Arche,
que l'Arche n'est pas une solution mais un signe et que ce n'est ni très confortable ni très valorisant de faire partie du Conseil d'administration d'une communauté qui n'est qu'un signe !

Pour rester à l'Arche,
il faut découvrir que l'Arche est notre vocation,
une vocation d'abord pour Claudia, Luisito, Lidia, les plus pauvres que Dieu a choisis en premier,
une vocation pour les assistants qui sont appelés à vivre avec eux,

une vocation pour les familles qui s'engagent dans les communautés,
une vocation pour les membres des Conseils d'administration.

Où que nous soyons, nous n'y resterons que si nous comprenons que nous y sommes pour répondre à l'appel de Jésus qui nous invite à quelque chose de mystérieux, de secret, et de très beau, à grandir dans l'amour.

Demandons à Jésus de nous aider à ne pas avoir peur de notre pauvreté,
à ne pas avoir honte de notre pauvreté
et à prendre conscience de notre vocation, de notre mission.

S'ENRACINER DANS LA FIDÉLITÉ

L'appel de Jésus est toujours différent
et son but pourtant toujours le même ;
c'est un appel à grandir dans l'amour,
à faire grandir l'amour en nous et dans le monde.

Quand nous aurons reconnu l'appel,
quand nous aurons trouvé notre place,
– et cela peut prendre du temps –
pour que nous puissions grandir,
il faut que nous apprenions à nous enraciner,
à être fidèle.

Que l'assistant qui vit tous les jours avec les personnes qui ont un handicap, ne passe pas son temps à dire : « Ah, si je faisais partie du Conseil d'administration ! » ou à penser qu'il serait mieux ailleurs, dans un autre foyer, dans une autre région, dans un autre pays.
Que celui qui fait partie du Conseil ne passe pas son temps à regretter de ne pas vivre dans un foyer.
Que la mère de famille ne passe pas son temps à désirer vivre dans un foyer et l'assistante qui vit en foyer à regretter de ne pas avoir fondé de famille…
Que le psychiatre ne pense pas qu'il ferait mieux de devenir assistant.
Non, il faut qu'il soit un bon psychiatre !

Chaque membre de la communauté doit être à sa place et jouer son rôle.
Que chacun comprenne peu à peu ce que l'appel initial signifiait pour lui,
ce à quoi Jésus ainsi l'appelait.
Il faut du temps pour que les choix mûrissent et deviennent féconds.

Chaque appel est différent, chaque appel est unique,
mais chacun, là où il est et comme il est, est appelé à donner la vie.

Saint Marc raconte comment un homme accourt vers Jésus,
et fléchissant le genou devant lui, lui demande: «Bon Maître, que dois-je faire pour avoir en partage la vie éternelle?»
Jésus lui parle des commandements de Dieu et l'homme lui répond: «"Maître, tout cela, je l'ai gardé dès ma jeunesse."
Alors Jésus le regarda et l'aima...»
Faites bien attention à cette phrase, le texte ne dit pas: «il l'aima» mais: «il le regarda et il l'aima». Ses yeux ont dû être très expressifs!
Alors Jésus lui dit: «Une seule chose te manque: va, vends ce que tu as, donne-le aux pauvres, et tu auras un trésor au ciel; puis viens et suis-moi.» (Mc 10, 17-22)

«Viens et suis-moi; nous allons marcher ensemble,
tu vas devenir mon ami.
Je t'apprendrai, dans un monde où il y a tant d'égoïsme, d'injustice et de violence, à être un homme aimant,
un homme d'espérance, un homme de paix.
N'aie pas peur, je t'apprendrai peu à peu à vivre de telle façon que tout ton corps, tout ton être
deviennent signe de la bonne nouvelle.»

Et pourtant, le jeune homme a peur.
Dans l'appel de Jésus, il y a quelque chose de très beau.
On découvre qu'on est aimé,
un autre monde s'ouvre devant soi.
Mais il y aussi quelque chose de très exigeant:

il faut accepter de quitter son monde ancien, de vendre ce à quoi on tenait.

Chaque appel, chaque choix,
implique un deuil :
il y a ce que l'on acquiert et ce que l'on perd.

Quand on se marie et qu'on choisit une femme, on fait objectivement le deuil de millions d'autres !
De même, l'assistant qui se marie doit savoir qu'il va devoir faire le deuil du célibat, le deuil de la vie de foyer et d'une certaine forme de relation qu'il a connue dans la vie communautaire.

Appel et deuil sont inséparables.
Si l'on accepte l'appel en refusant le deuil,
on risque de vivre dans la contradiction.
Je dis toujours que c'est ce qu'il y a de plus fatigant :
on choisit l'Arche, on veut vivre à l'Arche, mais on n'accepte pas toutes les conséquences de son choix,
on regrette de ne pas avoir un bon salaire, de mener une vie simple, de ne pas faire de grandes choses.

Il y a appel et deuil… mais qui aime le deuil ?
Quand j'ai quitté la marine, il y a plus de quarante ans maintenant, j'ai vendu tout ce que j'avais et j'ai donné l'argent aux pauvres.
Maintenant, je n'ai plus grand chose à vendre et, ce que j'ai, je doute fort que quelqu'un soit tenté de l'acheter !

Mais l'appel et le deuil sont constants.
Il y a encore des deuils que je dois faire aujourd'hui,
pas de la même façon,
plutôt des attitudes intérieures, des peurs, des insécurités, des certitudes…

On ne donne pas une fois pour toutes.
C'est aujourd'hui, c'est chaque jour que j'ai un deuil à faire,
parce que c'est chaque jour que Jésus m'appelle à être saint et aimant,
à être fils du Père,
libéré de la peur.

Il y a un deuxième appel de Jésus qui est aussi une très belle histoire, c'est l'appel de Zachée (Lc 19, 1-10).

Zachée était un homme de petite taille,
ce qui était commode quand il voyageait, (il n'avait pas de problème pour trouver un lit à sa mesure !)
mais plus désagréable quand il était pris dans une foule car Zachée avait beau se mettre sur la pointe des pieds, il n'y voyait rien.

Ce n'était pas là pourtant le seul souci de Zachée.
C'était un publicain, c'est-à-dire un collecteur d'impôts.
Ce métier ne le rendait pas très populaire, et la situation de Zachée était aggravée du fait que les publicains collectaient les impôts pour les romains et qu'ils apparaissaient donc comme des "collaborateurs" et des traîtres.
Ils profitaient largement de l'occupation romaine mais étaient méprisés et haïs par les « vrais » juifs.
Or ce Zachée, traître et malhonnête – se payant avec ce qu'il collectait, il avait certainement tendance à réclamer plus que son dû – entend dire que Jésus arrive à Jéricho.
Quelque chose en lui est attiré par Jésus et « il cherche à voir qui il est ».

Il quitte le bureau et il court, mais il y a beaucoup de monde et il est trop petit.
Il s'avance alors et monte sur un sycomore.
Un notable, « le super-inspecteur » des impôts de Jéricho perché sur un arbre ! Cela devait être drôle.
Jésus a dû rire…
puis, en voyant le fond de son cœur,
il lui dit : « Zachée, descends vite, car il me faut aujourd'hui demeurer chez toi. »

Zachée descend, court chez lui.
Je l'imagine disant à sa femme :
« Jésus va venir déjeuner chez nous ! »
et elle : « – Mais tu es fou ! Tu as bu ! Tu dis n'importe quoi… Ce n'est pas possible ! »

Il y a des scènes auxquelles j'aurais vraiment aimé assister et des personnages que je me réjouis de revoir un jour au ciel.
Je crois que ça a été une belle scène de ménage…
Et quand elle est enfin convaincue que Zachée dit vrai,
elle est furieuse. Ce n'est vraiment pas le jour, rien n'est prêt, la maison est en désordre, les enfants ne sont pas baignés…

Les autorités morales de Jéricho,
tous les juifs bien-pensants sont en colère eux aussi : Jésus aurait dû aller chez le chef de la synagogue (on dirait aujourd'hui chez le curé de la paroisse, chez les religieuses, chez celui-ci ou celle-là…)
Pourquoi n'y va-t-il pas ? Que va-t-il donc faire chez un publicain, un traître compromis avec les romains ?

Ils sont furieux et blessés.
« Tous murmuraient et disaient : "Il est allé loger chez un pécheur !" »
Ils sont choqués et ont l'impression de ne plus rien comprendre. C'est le monde à l'envers !

Jésus fait toujours ainsi. Il met notre monde égoïste et faussement vertueux à l'envers,
il dérange, il bouscule l'ordre établi,
il renverse les valeurs en place pour instaurer un ordre social entièrement nouveau.

Jésus est donc chez Zachée et il ne lui dit pas de vendre sa maison et de le suivre, il lui a dit : « Je veux demeurer chez toi. »

Il y a deux appels de Jésus :
Au jeune homme riche, il dit : « Va, vends tout ce que tu as et suis moi. Ne prends pas de bagages, tu n'en auras pas besoin, je m'occuperai de toi ! »
À Zachée il dit : « Il me faut aujourd'hui demeurer chez toi. »
Et l'un n'est pas plus facile que l'autre.

Ce serait beaucoup plus confortable pour tout le monde si Jésus restait à l'église,

on pourrait venir le voir de temps en temps,
quand on voudrait, on pourrait, quand notre esprit s'y prêterait ou qu'on aurait besoin de lui.
Mais avoir Jésus chez soi !
C'est aussi difficile et exigeant que de le suivre sur les routes.

Quand Jésus nous dit qu'il veut vivre chez nous
et que nous l'accueillions chez nous,
il va transformer beaucoup de choses en nous et dans notre façon de vivre.

Vous le savez, souvent dans les familles, on ne vit pas réellement ensemble,
on ne se parle pas beaucoup.
Et l'on peut avoir établi, en toute bonne conscience, tout un système pour se fuir les uns les autres.
La femme fuit dans ses occupations.
Le mari, dans la lecture du journal ou la télévision ou dans son travail qui l'occupe et le préoccupe sans cesse.
Et Jésus dit à la bonne ménagère :
« Non, peut-être que tu pourrais cesser de ranger, assieds-toi, écoute ton fils, ta fille, prends le temps d'être avec eux... »
Et Jésus dit au travailleur modèle :
« Non, peut-être pas d'abord le journal, non, pas toujours le travail, va parler avec ta femme, avec tes enfants. »

Il y a beaucoup d'hommes qui ne savent pas ce que c'est qu'être père.
Ils croient qu'il suffit d'assurer la vie matérielle de leurs enfants et de les diriger dans le chemin qu'ils jugent bon.

Non, être père, c'est bien plus que cela.
C'est d'abord aimer ses enfants,
les écouter,
être attentifs à ce qu'ils sont,
respecter leur croissance et les aider à grandir
en les protégeant, mais aussi en leur faisant confiance
et en leur laissant trouver leur propre espace.

C'est une vocation spéciale que d'être père ou mère,

c'est très exigeant et très beau
parce que c'est un appel de Dieu
et que Dieu veut demeurer avec nous.

Aujourd'hui, prenons du temps pour écouter l'appel de Dieu en nous.
Ecouter Dieu nous appeler par notre nom,
retrouver l'amour de notre jeunesse,
revivre notre premier appel et notre premier « oui » à Jésus,
ou bien entendre pour la première fois son appel.

Prenons du temps pour écouter Jésus
qui nous appelle, comme au premier jour,
à le suivre, à l'aimer,
à l'accueillir chez nous.

Deuxième jour

« TU AS DU PRIX À MES YEUX, ET MOI, JE T'AIME »

SE DÉCOUVRIR AIMÉ DE DIEU

Le prophète Osée dit : « Je vais la séduire, la conduire au désert et parler à son cœur. » (Os 2, 16)
Le désert est un lieu où l'on a toujours un peu peur.
On est seul,
loin de ses activités, de ses sécurités habituelles,
loin de ses repères.
On se sent démuni, appauvri,
comme lâché dans le vide.
C'est dans cette pauvreté-là que Dieu nous rejoint et vient nous parler.

Le prophète continue : « Là, elle répondra comme aux jours de sa jeunesse,
comme au temps où elle monta du pays d'Égypte. »
Les gens mariés se souviennent longtemps de la joie des fiançailles,
puis ils oublient.
On se souvient longtemps de sa première rencontre avec Jésus : on était si heureux,
puis on oublie.
On se souvient longtemps de sa première semaine comme assistant à l'Arche :
c'était si beau,
puis, on oublie.

Les années passent, on se fatigue, on s'use,
tout se recouvre de grisaille.
Et Yahvé dit : « Je te ramènerai aux jours de ta jeunesse
au jour où tu es monté du pays d'Égypte.
Souviens-toi de la joie que tu éprouvais alors. »

Vous imaginez la joie des Israélites quand, après tant d'années, ils voient la mer s'ouvrir devant eux
et qu'ils se rendent compte soudain qu'ils sont libres !
Au plus fort de leur joie, plus que la liberté retrouvée,
il y a la certitude que Dieu veille sur eux,
que c'est lui qui les conduit
et qu'il est avec eux depuis le début.
Nous avons tous eu des expériences de cet ordre :
on est devant un mur,
dans une situation impossible,
et brusquement, on est passé au travers, on ne sait même pas comment.

À l'Arche, il y a toujours 10 à 20 % des communautés qui sont en crise en même temps.
Je le sais, mais je sais aussi que ce ne sont jamais les mêmes.
Celles qui aujourd'hui sont dans un état de tension
et de pauvreté extrêmes
seront demain des communautés pleines de vie.

Alors, quand on a fait le passage,
on se réjouit et on rend grâce,
puis, très vite, on oublie.
Très vite, les Israélites ont eux aussi oublié.
Et quand, dans le désert, ils n'eurent plus d'eau ni de nourriture,
que le chemin leur sembla impossible,
ils oublièrent leur certitude passée et se mirent à murmurer contre Dieu.
À l'Arche aussi, il nous arrive de murmurer contre Dieu
parce que l'Arche aussi est impossible
Pourtant, nous savons aussi que « rien n'est impossible à Dieu ».
Nous sommes constamment entre deux crises, comme si les crises étaient nécessaires
pour que nous nous tournions toujours vers Dieu.

Dieu nous ramène à cette exultation des débuts, à cette certitude qu'il est là et veille sur nous.
Pour cela, nous dit-il : « J'ôterai de sa bouche les noms des Baals », c'est-à-dire le nom de toutes les idoles,
ces choses que nous adorons à la place de Dieu,
ces choses humaines : argent, efficacité, savoir, réputation, amitié ou même communauté, auxquelles nous nous attachons et qui deviennent l'essentiel,
celles dont nous nous disons : « Sans elles, je ne peux pas vivre. »

Puis le prophète continue : « En ce jour-là, je conclurai pour eux une alliance avec les bêtes des champs,
avec les oiseaux du ciel et les reptiles du sol ;
l'arc, l'épée, la guerre, je les briserai dans le pays,
et je les ferai dormir en sécurité. » (Os 2, 20)
C'est extraordinaire de découvrir cette alliance entre Dieu et nous,
de découvrir qu'il nous aime et nous protège comme ses enfants,
qu'il nous fait la promesse de la paix.

C'est vrai que dans le monde, on en est loin.
Mais, dans nos communautés,
dans nos familles,
il est possible d'œuvrer pour qu'il n'y ait plus de guerre,
plus de rivalité, plus de compétition,
pour que l'arc, l'épée et la violence soient bannis,
pour que chacun à sa place travaille au bien commun et qu'il n'y ait ni rivalité ni jalousie.
C'est très beau quand la famille ou la communauté est devenue un corps où chacun est respecté pour ce qu'il est,
où chacun respecte l'autre comme il est.

« Je te fiancerai à moi pour toujours ;
je te fiancerai dans la justice et dans le droit,
dans la tendresse et dans l'amour ;
je te fiancerai à moi dans la fidélité,
et tu connaîtras Yahvé. » (Os 2, 21)

C'est la fin de la promesse.
Le texte commence par l'appel « je la conduirai au désert » et s'achève par les fiançailles avec Dieu,

car « connaître Yahvé » n'est pas en avoir une simple connaissance théorique,
mais faire l'expérience de sa présence,
le connaître intimement comme l'époux connaît l'épouse et l'épouse l'époux.
Connaître Yahvé, c'est être en Lui et Lui en moi,
de sorte que mon cœur batte au rythme du sien,
que j'ai les mêmes goûts, les mêmes désirs, les mêmes priorités, les mêmes soifs que Lui.
C'est faire l'expérience d'être aimé, mais aussi trouver en moi cette puissance nouvelle qui m'a été donnée dans l'Esprit Saint.

Je me rappelle avoir reçu un jour une lettre d'une jeune femme qui avait le sentiment de n'avoir jamais été aimée.
Elle me disait que dans son enfance, elle avait toujours eu l'impression d'être conçue par erreur,
de n'avoir jamais été désirée.
Ses parents ne parlaient que de son frère ou de sa sœur mais jamais d'elle, comme si elle n'existait pas ;
elle avait le sentiment de les avoir toujours dérangés et de n'être bienvenue nulle part ;
aussi sentait-elle une blessure permanente.

Elle m'écrivait : « Lorsque j'allais à l'école, tout le monde avait des amis, sauf moi. Et j'avais l'impression qu'aucun homme ne pourrait m'aimer. »
Puis elle continuait : « Un jour, je marchais dans une forêt, je me suis assise près d'un arbre et soudain, j'ai été remplie de la certitude que j'étais aimée de Dieu. »
Quelque chose avait jailli en elle,
elle découvrait qu'elle était importante, précieuse aux yeux de Dieu.
C'est une expérience très forte, d'autant plus forte qu'il s'agissait de quelqu'un qui avait l'impression de n'avoir jamais été aimé.
C'était une connaissance nouvelle et immédiate de Dieu
qui à la fois changeait tout et ne changeait rien.
C'est important de comprendre que cette expérience de l'amour de Dieu,

à la fois change tout
et ne change rien.

Nous sommes le fruit de notre histoire, la somme de tout ce que nous avons vécu depuis notre conception ;
chaque événement, heureux ou malheureux, s'est inscrit dans notre chair,
et même si notre mémoire ne s'en souvient pas,
notre corps, lui, se souvient de tout.
Il porte la marque de chaque blessure, de chaque rejet, de chaque geste ou parole qui a pu nous donner le sentiment de n'être pas aimé et donc d'être coupable. C'est étrange comme ce sentiment de culpabilité est très profondément enfoui en nous.

La première fois qu'un petit enfant se sent rejeté, simplement parce qu'on ne l'écoute pas,
parce que sa maman est fatiguée ou occupée avec l'un ou l'autre des autres enfants,
il ne comprend pas, il est blessé, et de la blessure même naît le sentiment que s'il n'est pas aimé, c'est qu'il n'est pas aimable,
que s'il est rejeté c'est qu'il est coupable,
il ne sait pas bien de quoi.
Ce sentiment de sa culpabilité le ronge de l'intérieur, mine sa confiance, le fait douter de lui-même et des autres, et conditionne beaucoup de ses actes sans qu'il s'en rende compte.

Nous sommes façonnés par toutes les grâces que nous avons reçues,
par toutes celles que nous avons refusées,
par tous les gestes d'amour et tous les gestes de haine ou d'indifférence,
par nos échecs et nos réussites ;
tout, littéralement tout, s'inscrit dans notre chair.

Ainsi, l'expérience de l'amour de Dieu pour nous que nous faisons un jour, comme l'a faite cette jeune fille, ne change pas notre histoire ni ce qui nous a ainsi façonné,
mais elle nous change parce qu'elle nous révèle que Dieu nous aime,
tels que nous sommes,

pas tels que nous aurions aimé être, pas tels que la société ou nos parents auraient souhaité que nous soyons,
mais tels que nous sommes aujourd'hui, avec nos fragilités, nos blessures, nos peurs, nos qualités et nos défauts.
Tels que nous sommes aujourd'hui, nous sommes aimés de Dieu.

Et si nous avons l'impression que sans cesse nous décevons les autres,
que nous sommes incapables de répondre à leur attente, à leur confiance, aux espoirs qu'ils ont mis en nous;
si nous avons le sentiment qu'il y a un décalage entre ce que nous paraissons être et ce que nous sommes en vérité,
entre ce qu'on nous croit capable de faire et ce que nous pouvons faire en réalité,
alors il faut que nous sachions que Lui, notre Dieu, nous ne le décevrons pas.

Il nous connaît exactement.
Il connaît l'étrange monde de ténèbres et de lumière qui nous habite,
il connaît mieux que nous ce mélange mystérieux que nous sommes,
il sait de quoi nous sommes capables.
Les autres peuvent être déçus par nous parce qu'ils font des rêves sur nous et nous projettent dans l'idéal;
Dieu n'est jamais déçu parce que celui qu'il aime, c'est celui que je suis aujourd'hui;
il ne vit ni dans l'avenir ni dans le passé mais dans le présent.
Il «est» le présent et il me voit dans ma réalité présente.

Il y a quelques années, je me souviens avoir parlé à des religieuses en Angleterre,
et l'une d'elles m'interrompait sans cesse.
Elle ne me gênait pas outre mesure, mais je sentais qu'elle énervait et gênait les autres membres du groupe.
À la fin, elle a demandé à me voir en tête à tête et elle m'a dit: «Vous savez, j'ai un tempérament de chien.»
Ça, je m'en étais rendu compte!
Elle a ajouté: «Aucun homme ne m'aurait choisie».
Ça aussi, ça me paraissait vraisemblable.

Puis, elle a dit aussi: «Mais Lui m'a choisie, Dieu m'a choisie avec ce que je suis.»
Derrière ce «tempérament de chien», il y avait un petit enfant très humble, un petit enfant aimé de Dieu.

La découverte que Dieu nous aime aujourd'hui, qu'Il n'est pas déçu par nous et qu'aujourd'hui, Il nous dit: «Suis-moi» est un grand mystère.
Nous, nous sommes toujours tentés de dire: «Je ne suis pas capable, je ne suis pas digne, je ne suis pas bon.»
Mais Dieu nous répond: «Je t'aime comme tu es, et c'est bien toi que j'appelle aujourd'hui,
toi, avec tes blessures, tes fragilités, tes infidélités.
Et c'est parce que tu as été infidèle, parce que tu m'as oublié,
que je vais à nouveau te séduire, t'amener au désert pour que tu puisses comprendre combien je t'aime;
et tu me connaîtras, "tu connaîtras Yahvé".»

Alors aujourd'hui, prenons le temps d'écouter Dieu,
asseyons-nous près d'un arbre où, comme la jeune fille, dont je parlais, nous pourrions l'entendre nous dire: «Tu es mon enfant bien aimé.»
Oui, nous sommes précieux pour Dieu.

DEVENIR L'AMI DU PAUVRE

Connaître Yahvé, c'est connaître les secrets de Dieu.
Connaître Jésus, c'est connaître les secrets de son cœur,
c'est connaître la soif de Dieu.

« Il a soif que nous ayons soif de Lui... » dit un très beau commentaire de saint Grégoire sur la parole du Christ en croix : « J'ai soif. » Jésus a besoin que nous ayons soif de lui pour nous communiquer son Amour.

Jésus a soif d'unité, c'est le grand désir de son cœur.
Je voudrais que vous relisiez aujourd'hui la fin du chapitre 17 de l'Évangile de saint Jean.
Ce sont les dernières paroles de Jésus sur la communauté,
un peu son testament communautaire.
Il nous y révèle la grande soif de son cœur.

« Je ne prie pas pour eux seulement,
mais pour ceux-là aussi
qui, grâce à leur parole, croiront en moi.
Que tous soit un.
Comme toi, Père, tu es en moi et moi en toi,
qu'eux aussi soient un en nous,
afin que le monde croie que tu m'as envoyé.
Je leur ai donné la gloire que tu m'as donnée,
pour qu'ils soient un comme nous sommes un :
moi en eux et toi en moi,

pour qu'ils soient parfaitement un,
et que le monde sache que tu m'as envoyé
et que je les ai aimés comme tu m'as aimé. » (Jn 17, 20-30)

Je suis toujours très ému de voir comment Jésus lie l'accueil de la foi dans le monde à l'unité des chrétiens : « Qu'ils soient un pour que le monde croie. »

Ce qui fait obstacle à la foi, c'est la désunion.
La désunion entre les personnes, entre les peuples, entre les Églises, entre les chrétiens, empêche le monde de croire.

La désunion est au cœur de notre monde.
Très vite, si nous n'y prenons garde, elle peut s'installer dans une communauté.
Il suffit de laisser se dresser ces barrières qui nous isolent de l'un ou l'autre que nous trouvons insupportable alors que tel autre nous attire.
Très vite, si nous ne demandons pas à l'Esprit Saint de nous aider à abattre les barrières, nous pouvons nous laisser enfermer dans une logique de peur et d'exclusion et devenir un agent de désunion au sein même de la communauté.
Or Jésus a soif d'unité et nous appelle à l'unité.

Dans l'ensemble, les sociétés humaines sont fondées sur la hiérarchie et sont construites comme des pyramides :
en haut, quelques-uns, riches et puissants, peu nombreux ;
en bas, la foule des petits et des pauvres ;
entre les différentes strates, toute une série d'échelles plus ou moins clairement identifiées et reconnues
et au plus bas ou même à l'extérieur de la pyramide,
les marginaux, ceux que la société rejette.

En Inde, ce sont les tribaux, cinquante millions de personnes qui sont ainsi tout en bas de l'échelle,
aux États-Unis, ce sont après les portoricains, les « boat people »,
en France ou en Irlande, les gens du voyage, les gitans, les immigrés.
Partout, dans toutes les sociétés, il y a une classe de gens que les autres refusent et rejettent,

et encore plus bas,
tout en bas de l'échelle, il y a la personne ayant un handicap,
dont on pense souvent qu'elle n'a pas de valeur humaine,
qu'on s'autorise à tuer avant sa naissance ou qu'on enferme.

Presque toutes les cultures rejettent les personnes qui ont un handicap mental.
En Afrique, on appelle certains des enfants-serpents et on dit qu'il faut les rendre au serpent ; c'est certainement pour cette raison qu'Innocente, de l'Arche de Bouaké, en Côte d'Ivoire, avait été abandonnée dans la brousse.
En Chine, on pense que les personnes ayant un handicap sont une punition divine et que s'en occuper, c'est aller contre la volonté du ciel.
À Sparte, à Rome ou à Athènes, dans l'Antiquité, on tuait les enfants qui avaient un handicap,
aujourd'hui, on les cache encore
et beaucoup sont supprimés avant leur naissance.

Ce n'est pas tellement plus clair ni plus facile aujourd'hui. Combien de fois ai-je entendu que je perdais mon temps avec des « gens comme ça » !
Ou alors, on admire l'Arche sans comprendre ce qu'elle est en vérité.
On me dit : « C'est très beau ce que vous faites » ou comme m'a dit un jour un Évêque : « C'est très bien que vous veniez dans mon diocèse, vous pourrez retirer de la rue tous les fous ! »

Cette attitude si répandue n'est pourtant pas générale.
Un de mes amis a un fils qui a un handicap mental très visible.
Un jour où ils étaient ensemble dans une gare, un porteur algérien, un kabyle lui a demandé : « Est-ce que c'est ton fils ? »
« Oui », a répondu mon ami et le porteur d'ajouter : « Tu as de la chance. Dans mon village, lorsqu'une famille a un enfant comme le tien, on sait que la famille est bénie par Allah. »

Je me souviens avoir eu la joie, l'an dernier, de parler aux parents des enfants qui sont à l'école de l'Arche à Ouagadougou, en Afrique, et je leur ai dit : « Beaucoup de gens disent que vos

enfants sont fous et les méprisent ou les craignent à cause de cela. Mais croyez-vous que Dieu dise : "Ton enfant est fou" ?
Non. Dieu dit : "Ton enfant est mon enfant bien-aimé."
Dieu accueille ceux que la société rejette et il les accueille comme le trésor de son cœur. »

Il y avait là un vieux musulman,
avec un très beau visage et une longue barbe. J'avais remarqué qu'il jouait doucement avec son enfant qui avait un assez lourd handicap.
Il a levé la main et il a dit : « Je vous remercie. Personne ne nous a jamais dit que nos enfants sont bien-aimés de Dieu. »
On sentait qu'un poids avait été enlevé de son cœur.
Alors je lui ai dit : « Je vois votre visage, vous avez un visage de sage et je sens que Dieu est en vous. Beaucoup de papas ont besoin de vous ; il faut que vous parliez aux papas des enfants qui ont un handicap, pour qu'ils comprennent. »

Car la personne qui a un handicap crée un monde de paradoxe autour d'elle,
on ne comprend pas qui elle est,
on ne sait pas bien se situer par rapport à elle et sa présence force à s'interroger sur ce qu'est réellement l'essentiel.

À l'Arche, ce que nous avons découvert en vivant avec les personnes ayant un handicap mental,
c'est quelque chose de très précieux,
un secret qui nous a été confié :
la personne qui a un handicap mental est signe et présence de Jésus et elle nous appelle à l'unité.
C'est cela le grand secret : le pauvre est source d'unité.

Une de mes joies est de voir l'Arche et Foi et Lumière se développer un peu dans les pays où se trouvent des gens de confessions différentes et de constater que, là aussi, le pauvre peut être source d'unité.

Jésus est venu pour changer nos sociétés hiérarchisées, fondées sur la domination des puissants, des habiles et des forts,
en un corps

où chacun a sa place,
où chacun est reconnu pour ce qu'il est,
où chacun est important.

Dans sa première lettre aux Corinthiens, Paul parle de l'Église comme d'un corps
dont chaque partie est différente,
et pourtant toutes également importantes,
non seulement parce que chacune d'elles a sa fonction qu'elle est seule à pouvoir remplir,
mais aussi parce que la souffrance de la moindre partie du corps fait souffrir tout le corps.
« L'œil ne peut donc dire à la main : "Je n'ai pas besoin de toi", ni la tête à son tour aux pieds : "Je n'ai pas besoin de vous".
« Bien plus, dit-il, les membres du corps que nous tenons pour les plus faibles sont nécessaires ; et ceux que nous tenons pour les moins honorables du corps sont ceux-là mêmes que nous entourons de plus d'honneur.
Ainsi nos membres indécents sont traités avec le plus de décence ; nos membres décents n'en ont pas besoin, mais Dieu a disposé le corps de manière à donner davantage d'honneur à ce qui en manque afin qu'il n'y ait pas en lui de division, mais qu'au contraire les membres se témoignent une mutuelle sollicitude. » (1Co 12, 21-25)

Dans le corps de l'humanité aussi, chacun est différent,
chacun est important et il y a pourtant des parties du corps social que l'on cache.

Quelles sont ces parties du corps social que l'on cache ?
Il me semble que saint Paul pense en particulier aux personnes qui ont un handicap mental.
C'est d'elles dont la société a honte
et dont l'apôtre nous dit qu'elles sont nécessaires à l'Église et qu'elles doivent être honorées.
Si nous sommes tous proches des plus faibles,
la pyramide se changera peu à peu en corps
et nous vivrons par eux dans l'unité.

DESCENDRE POUR RENCONTRER JÉSUS

Dans sa lettre aux Philippiens, saint Paul écrit :
« Aussi je vous en conjure par tout ce qu'il peut y avoir d'appel pressant dans le Christ, de persuasion dans l'Amour, de communion dans l'Esprit, de tendresse compatissante... »

On sent bien là tout l'amour de Paul pour les gens de Philippe.
C'est la première ville d'Europe qu'il ait évangélisée.
Il leur est très attaché,
en particulier à Lydia qui avait été la première à l'accueillir,
et les gens de Philippe l'ont toujours beaucoup soutenu.
Il y a une relation très profonde entre saint Paul et les Philippiens et il s'adresse à eux en les suppliant de demeurer unis :

« ...mettez le comble à ma joie par l'accord de vos sentiments : ayez le même amour, une seule âme, un seul sentiment ; n'accordez rien à l'esprit de vaine gloire, mais que chacun, par humilité, estime les autres supérieurs à soi ; ne recherchez pas chacun vos propres intérêts, mais plutôt que chacun songe à ceux des autres. » (Ph 2, 1-4)

C'est vraiment le cri d'un père.
du père de la communauté qui sait que la communauté vit de l'unité et meurt de désunion.
Le cœur de Paul comme le cœur de Jésus est épris d'unité.

Puis, il continue par cette phrase tout à fait étonnante qui nous apprend comment être source d'unité :
« Ayez entre vous les mêmes sentiments qui furent dans le Christ Jésus. »
C'est une phrase très importante
qui nous fait toucher le cœur de l'Évangile :
pour être agent d'unité, il faut avoir les mêmes sentiments que Jésus.

Et ces sentiments, Paul les décrit juste après :
« Lui, de condition divine,
ne retint pas jalousement
le rang qui l'égalait à Dieu.
Mais il s'anéantit lui-même,
prenant condition d'esclave,
et devenant semblable aux hommes. »

Jésus n'a pas voulu conserver la gloire qu'il a en tant que Dieu ;
il a accepté de se dépouiller
il a accepté de se vider, de « s'anéantir » pour se faire être humain,
pour qu'on le voie,
pour qu'on l'entende,
pour qu'on le touche,
comme un être humain, semblable à nous,
comme un frère en humanité.

« S'étant comporté comme un homme,
il s'humilia plus encore,
obéissant jusqu'à la mort, et à la mort sur une croix. » (Ph 2, 6-8)

Paul nous décrit la façon d'être de Dieu. Et la façon d'être de Dieu, ce n'est pas de se proclamer le plus fort, le plus grand ou le plus savant
ni de désirer le pouvoir ou la gloire
mais de s'abaisser
de devenir plus petit,
de devenir un être humain et d'aller plus bas encore, devenant un esclave et plus encore, un esclave rejeté.

Là, tout en bas de l'échelle, il va retrouver les autres rejetés,

les plus pauvres, les plus petits,
pour créer avec eux une communauté.
C'est avec eux, à partir d'eux qu'il recompose le corps de l'humanité,
déchiré par l'ambition, le goût du pouvoir et de la performance.

Oui, la vision de Dieu,
c'est de descendre, de s'humilier, d'aller le plus bas possible,
de rejoindre les plus pauvres, les plus petit,
et de remonter avec eux pour construire cette nouvelle humanité qui ne laisse personne en arrière, n'oublie personne, ne rejette personne.

La vision des hommes, c'est de toujours vouloir monter l'échelle,
au plus haut possible,
de gagner la course,
de gagner la puissance, le pouvoir, la richesse,
de dominer,
de conquérir la gloire et la renommée humaines.

Le secret de Jésus,
c'est de retrouver dans l'humilité et la petitesse les plus petits,
pour créer avec eux des communautés d'espérance,
des communautés du Royaume.

Ce mystère de Dieu s'est manifesté d'une façon tout à fait particulière quand Jésus a lavé les pieds des apôtres (Jn 13).
Le premier geste de Jésus, dans le lavement des pieds, est d'ôter ses vêtements,
c'est-à-dire de prendre la tenue de l'esclave,
et puis il lave les pieds,
il fait le geste de l'esclave.

Vous connaissez la réaction de Pierre ;
il est choqué,
c'est trop, il ne comprend pas.
Et il crie : « Non, tu ne me laveras pas les pieds ! »

Et vous connaissez la réponse de Jésus :

« Si je ne te lave pas les pieds, tu n'auras pas de part avec moi. »
C'est une parole très forte.
« Si je ne te lave pas les pieds, tu n'es plus mon ami,
tu n'as plus qu'à partir,
tu n'as rien compris de ce que je suis
et il n'y a plus rien entre nous, tout est terminé entre nous. »
C'est extrêmement fort et le moment est grave.

Pierre est complètement dérouté ; il ne comprend rien, mais il sait qu'il veut garder l'amitié de Jésus.
Alors il est prêt à tout et il dit : « Pas seulement les pieds, mais la tête, les mains, tout mon corps ! »

Puis, quand Jésus a lavé les pieds de ses disciples,
il remet son vêtement et dit :
« Vous m'appelez Maître et Seigneur, et vous dites bien car je le suis. Si donc je vous ai lavé les pieds, moi le Seigneur et le Maître, vous aussi vous devez vous lavez les pieds les uns aux autres »...

Il nous montre ainsi la voie :
la voie des disciples,
la voie de l'humilité, la voie descendante de la petitesse et du service,
la voie de la non-violence.

Il nous dit ailleurs : « Quand tu es invité, ne t'installe pas à la première place ;
prends la dernière. » (Lc 14, 10)
Ne cherche pas la compagnie des puissants,
mais descends l'échelle
pour rencontrer les plus pauvres,
non pas d'abord pour faire quelque chose pour eux
ni pour avoir la fierté d'avoir fait quelque chose de bien,
mais pour les rencontrer tout simplement,
pour entrer en communion avec eux,
pour te lier d'amitié avec eux.

Voilà le secret : si tu deviens l'ami du pauvre,
tu seras béni de Dieu.

Tu découvriras quelque chose d'entièrement nouveau,
tu découvriras que l'Évangile est vraiment une bonne nouvelle,
qu'il est une solution aux plaies de l'humanité,
une réponse pour arrêter toute cette histoire de guerre et de violence entre les hommes,
cette lutte fratricide où Caïn tue Abel,
où chacun s'efforce de maintenir son frère tout en bas de l'échelle pour se sentir supérieur,
emmuré dans sa peur d'être délogé par un plus fort.

Ainsi Jésus nous dit : « Arrête d'avoir peur ;
arrête de te protéger,
de te défendre,
de te justifier,
de t'enfermer dans le cercle étroit de ceux qui sont comme toi.
Accepte les différences :
c'est chacun à sa place mais ensemble qu'il vous faut vivre.
Descends l'échelle pour devenir l'ami du pauvre
et l'ami de Dieu. »

Dans notre communauté de Bouaké il y a une toute petite fille très importante qui m'a donné beaucoup de joie.
Elle s'appelle Innocente.
Elle avait été abandonnée toute petite dans la brousse et elle aurait pu être dévorée par une bête ou piquée par un serpent, mais quelqu'un qui passait par là l'a ramassée et l'a amenée dans un orphelinat. Elle était mourante, toute maigre et desséchée.
Elle a pourtant survécu et l'orphelinat nous l'a confiée.

C'est vrai, elle est toute petite ;
elle ne parlera jamais, elle ne marchera jamais,
on ne sait pas ce qu'elle comprend ni ce qu'elle pense
mais quand on s'approche d'elle,
qu'on l'appelle par son nom,
alors son visage s'éclaire comme une lampe, son sourire l'illumine, ses yeux brillent,
elle est d'une exceptionnelle beauté.

Un jour, je la regardais
et je me suis dit qu'elle était tout à fait comme Jésus.
Innocente ne juge ni ne condamne personne;
elle est trop petite pour juger,
mais si on ne s'arrête pas pour la regarder et la toucher,
elle est blessée comme Jésus.
Jésus ne juge jamais, ne condamne jamais,
mais Il est blessé
si on ne s'approche pas de Lui.
C'est le mystère de Dieu.

Un de mes rôles dans la communauté est d'accompagner les assistants.
Avec eux, j'apprends beaucoup,
Quand on passe toute sa journée à écouter, on apprend beaucoup,
beaucoup plus même que dans les livres.
Les livres peuvent être intéressants mais ce que dit le livre des cœurs est encore plus intéressant
parce que c'est le lieu où Dieu habite.
C'est aussi le lieu des combats et on apprend beaucoup quand on est proche du lieu des combats.

Je pose souvent aux assistants que j'accompagne cette question: «Est-ce que tu pries?»
Et quand je dis cela, je ne veux pas dire: «Est-ce que tu dis des prières?»
mais bien, est-ce que tu passes du temps avec Dieu?
Est-ce que tu prends du temps de repos avec Dieu?
Est-ce que tu es en communion avec Dieu?
Est-ce que de temps en temps tu te tiens main dans la main avec Dieu?
Est-ce que tu es heureux avec Lui?

Souvent j'entends: «Je n'ai pas le temps.»
C'est vrai qu'un des dangers à l'Arche comme ailleurs, c'est de devenir très occupé, il y a tellement à faire!
Dans mon foyer où les personnes qui ont un handicap sont maintenant assez âgées, elles sont plus souvent malades et on peut avoir tout son temps pris par des problèmes médicaux.

Et puis ceux qui pouvaient s'habiller seuls ne le peuvent plus maintenant,
ceux qui se lavaient seuls ont plus de difficultés et il faut les aider.
C'est vrai qu'on est de plus en plus occupé.

Je réponds : « Je comprends… mais la semaine dernière, tu avais quelques jours de repos, j'imagine que tu as pris beaucoup de temps pour prier. »
Il y a souvent alors une sorte de gêne et si la personne est vraie, elle finit par dire : « Non ! »
« – Alors, le problème n'est pas un problème de temps, c'est autre chose… C'est que tu ne veux pas prier. Est-ce que tu sais pourquoi ?
Est-ce que tu sais pourquoi tu ne veux pas prier ? »

Et très souvent la réponse est : « J'ai peur de m'approcher de Dieu, j'ai peur qu'il me demande quelque chose que je ne veux pas faire ou que je ne peux pas faire. »
Comme si Dieu était là, constamment, pour nous obliger à faire des choses que nous ne voulons pas faire !
Il y a toujours en nous, liée à notre culpabilité fondamentale, cette étrange idée d'un Dieu qui punit et qui condamne,
qui veut nous enlever ce que nous aimons, ce à quoi nous tenons, un Dieu terrible qui exige des sacrifices.
Mais ce n'est pas Dieu !

Dieu est Celui qui aime, un Dieu miséricordieux
qui n'est jamais déçu
et qui sait bien de quoi nous sommes faits.
Il sait qu'il y a en nous ce foyer de culpabilité, cette peur permanente de ne pas être aimé, cette vulnérabilité fondamentale
et Il nous aime.
Il veut seulement nous révéler qu'Il nous aime, comme il le dit à Pierre.

Pierre fait partie d'une de nos communautés, il est trisomique.
Un jour, un des assistants lui demanda s'il aimait prier,
« Oui », dit Pierre ; l'assistant ajouta :
« Et que fais-tu, quand tu pries ?
– J'écoute, répondit Pierre.

– Qu'est-ce qu'Il te dit ? reprit l'assistant.
– Il me dit : "Tu es mon fils bien-aimé". »

C'est cela que nous découvrons dans la prière :
que nous sommes tous le fils ou la fille bien-aimé(e) de Dieu,
que Dieu veut s'unir à nous pour nous révéler ses secrets.
Le secret d'Innocente, le secret de Luisito,
notre propre secret, c'est que Dieu nous aime comme son enfant.
Nous aussi nous sommes blessés,
nous aussi nous avons nos handicaps,
peut-être moins visibles que ceux d'Innocente ou de Claudia,
mais bien réels,
et Dieu est vivant aussi en nous.

C'est une des choses que j'ai comprise en donnant le bain à Eric.
Eric était très pauvre, aveugle, sourd,
il ne pouvait ni parler ni manger tout seul
et quand j'ai quitté la responsabilité de la communauté de Trosly, j'ai vécu avec lui.
Je m'occupais de lui,
presque tous les jours, je lui donnais son bain, je le faisais manger, je restais avec lui
et lui me donnait beaucoup de joie.

J'ai compris en touchant son corps, ce corps si pauvre, si petit
qu'il était vraiment le temple de Dieu,
c'est ce que dit cette parole de saint Paul : « Ne sais-tu pas que ton corps est le temple du Saint-Esprit ? » (1Co 6, 19)

C'est extraordinaire de comprendre que notre corps est le lieu où Dieu réside,
le lieu où il établit sa demeure.
C'est vrai quand nous mangeons le corps de Jésus : nous sommes transformés en tabernacle ;
c'est vrai aussi quand nous l'aimons et gardons sa parole.
« Si quelqu'un m'aime, dit Jésus, il gardera ma parole, et mon père l'aimera et nous viendrons à lui et nous ferons chez lui notre demeure. » (Jn 14, 23)

Jésus nous le révèle, l'Église nous le révèle :

notre corps, ce petit corps d'Éric est le temple de Dieu.
Les choses changent beaucoup quand je découvre que Dieu m'aime, que mon corps est le temple de Dieu, que je suis un tabernacle
et que Dieu habite en moi.

C'est pour cela que nous faisons cette retraite, pour connaître Yahvé et les secrets de Yahvé.
Alors tournons-nous vers lui,
prenons conscience de Sa présence en nous,
entrons dans un cœur à cœur avec Lui.

Ce qui est important dans une retraite, je vous l'ai dit en commençant, ce n'est pas ma parole
mais la parole de l'Esprit qui habite en nos cœurs.
C'est lui qu'il nous faut entendre.
Je prie pour que ma parole ne soit pas un obstacle à Sa parole,
mais qu'elle vous aide simplement à mieux entendre ce que vous dit votre propre cœur.

Peut-être Jésus aujourd'hui veut-il seulement nous dire de faire confiance à notre cœur.
C'est pourquoi, je vous encourage à passer du temps, dans la chapelle, dans votre chambre, dehors,
pour simplement écouter Dieu.
Qu'Il nous conduise,
que nous devenions des hommes et des femmes aimants.

Troisième jour

«SI TU SAVAIS LE DON DE DIEU...»

TOUCHER SES BLESSURES

Le mystère d'une retraite, c'est d'entendre l'appel de Jésus et de découvrir qu'Il nous aime,
mais c'est aussi de toucher nos deuils,
nos blessures.

Le grand danger pour chacun de nous est de vivre dans l'illusion par rapport à soi-même.
On est souvent assez clair pour juger les autres,
mais pour soi-même on a beaucoup de mal,
on se croit merveilleux ou abominable, on s'exalte ou on se dénigre,
mais on a le plus grand mal à se voir tel qu'on est.

Il y a souvent des choses en nous qu'on ne veut pas voir
qu'on nie,
Un alcoolique par exemple reconnaît rarement qu'il est alcoolique
et chacun de nous a tendance à nier toute une part de lui-même.

Jésus veut nous apprendre à nous connaître tels que nous sommes,
avec notre vocation profonde à l'amour,
avec tous nos dons,
avec toute la beauté qui est en nous,
mais aussi avec tout ce qui est blessé,
avec tout ce qui est fragile,
avec tout ce qui est pauvre.

Je voudrais vous parler aujourd'hui, de nouveau, mais un peu plus longuement, de la rencontre de Jésus avec cette femme de Samarie. (Jn 4)
Vous savez, c'est une rencontre très importante.

Je vous ai dit que cette Samaritaine est pour moi la femme la plus blessée de l'Évangile :
elle fait partie d'un peuple méprisé,
et à l'intérieur de ce peuple rejeté, elle est elle-même marginale et méprisée.

Je me suis souvent demandé pourquoi elle allait chercher l'eau à midi.
C'est le matin, tôt, avant que le soleil ne soit trop chaud, que les femmes vont chercher l'eau,
ou alors le soir.
Et comme elles y vont toutes à la même heure, elles se rassemblent autour du puits,
se retrouvent
parlent,
de leur mari, de leurs enfants, des choses quotidiennes.

Mais s'il y a là une femme de mauvaise vie,
il peut se créer une tension ;
on s'écarte d'elle,
on ne sait quoi lui dire,
on ricane peut-être ;
elle est alors mal à l'aise,
elle ne se sent pas à sa place,
elle ne fait pas partie de la petite communauté des femmes du village ;
elle ne partage ni leur mode de vie, ni leurs soucis, ni leurs joies :
elle fait scandale.

C'est pourquoi je crois que la Samaritaine préfère venir au puits quand il n'y a personne,
à midi, quand le soleil est au zénith.
Mais je me trompe peut-être complètement en interprétant le texte ainsi !

Quand j'arriverai au ciel et que je la rencontrerai, c'est une des questions que je lui poserai et il n'est pas exclu qu'elle me réponde que moi qui ai tant parlé d'elle, je n'y avais rien compris et que si elle est allée si tard au puits ce jour-là,
c'est seulement qu'elle avait fait la grasse matinée !

Ce qui est clair,
c'est que sa situation l'exclut des lieux de rassemblement paisibles des autres femmes, tout comme des lieux de culte ;
c'est une femme blessée, rejetée par les gens pieux du pays,
et qui se croit rejetée par Dieu.

Peut-être est-elle elle-même la fille d'une femme de mauvaise vie,
peut-être n'a-t-elle jamais connu autre chose que la misère ;
pas d'amour,
un foyer désuni,
Peut-être est-elle pleine de colère et de tristesse,
enfermée dans sa culpabilité et sa révolte,
en colère contre elle-même, contre ses enfants, contre les gens du village,
et tellement triste...

Alors, ce jour-là, elle va chercher de l'eau
à midi pour être seule,
et voilà qu'elle voit un homme assis par terre contre le puits.

C'est très émouvant de sentir Jésus fatigué.
Jésus est profondément humain, il est un être humain en toutes choses, excepté le péché ;
il faut être attentif à cette humanité de Jésus,
quand on est fatigué, on peut ainsi se sentir proche de lui.

Alors, il est là, assis, fatigué,
et cette femme s'approche avec sa cruche sur la tête ou sur l'épaule.
Jésus se tourne vers elle,
il lui dit : « Donne-moi à boire », c'est-à-dire, j'ai besoin de toi.
C'est très émouvant.

Jésus ne commence pas par dire à cette femme : « Tu es une femme de mauvaise vie ».
Il dit : « J'ai besoin de toi, veux-tu m'aider ? »

Jésus nous montre comment nous devons nous approcher des pauvres
non pas du haut de notre pouvoir ou de notre générosité,
mais du fond de notre pauvreté,
de notre fatigue,
de notre besoin d'eux.

C'est important aussi que cette rencontre ait lieu auprès d'un puits.
Dans l'Écriture Sainte, il y a quatre rencontres auprès d'un puits qui scellent quatre alliances.
La première, c'est la rencontre du serviteur d'Abraham et de Rébecca. C'est auprès d'un puits en effet que le serviteur envoyé par Abraham, pour chercher une femme à son fils rencontre Rebecca à qui il demande aussi : « Donne-moi à boire » (Gn 24).
La deuxième, c'est la rencontre de Jacob et de Rachel (Gn 29) ; la troisième, c'est celle de Moïse et de sa femme Cippora (Ex 2).
Et Jésus crée aussi une alliance avec cette femme,
auprès du puits,
et c'est à elle, la plus petite et la plus méprisée, qu'il révèle qu'il est le Messie.
Il ne l'a dit à personne d'autre…

Vous le savez, pour moi, cette femme est réelle, je veux dire qu'elle a réellement, historiquement, existé,
que Jésus lui a vraiment parlé,
et que nous pourrons lui parler à notre tour quand nous serons au ciel.
Je me méfie des interprétations trop allégoriques de la Bible,
elle peuvent être intéressantes, mais je crois plus important de partir du concret, des faits, et de voir ensuite ce qu'ils nous disent.
Donc, cette femme est réelle mais elle est aussi symbolique, comme tous les personnages de la Bible,

parce qu'elle nous apprend aussi quelque chose de l'humanité et de nous-mêmes.

Elle rend présente cette partie blessée de l'humanité, les pauvres, les exclus, les marginaux, les prisonniers, les pécheurs, les personnes qui ont un handicap…
tout ce peuple qu'on ne veut pas voir, qu'on nie, qu'on cache, qu'on enferme dans les prisons, les asiles ou qu'on repousse bien loin dans les bidonvilles.

Cette femme de Samarie est aussi à l'intérieur de nous,
elle est cette partie blessée que l'on cache,
que l'on se cache même à soi-même.
Elle symbolise le lieu de la culpabilité en nous d'où naissent tant de nos attitudes, qu'on en ait conscience ou non.
Le sentiment de culpabilité peut nous pousser à devenir un héros, à nous racheter par de grands élans de générosité ou de courage,
comme il peut nous pousser à nous enfermer dans la drogue, l'alcool ou la colère…
Tant que nous ne laissons pas Dieu y pénétrer, nous risquons d'être conduits par ce sentiment de culpabilité, même sans en avoir conscience.

Je me souviens avoir prêché un jour une retraite sur la Samaritaine à laquelle assistait une femme alcoolique.
Elle passait par des périodes d'abstinence et puis elle sombrait dans l'alcool ; elle s'arrêtait à nouveau et de nouveau se remettait à boire.
Au cours de cette retraite, elle a dit à quelqu'un :
« Je comprends maintenant qu'il y a deux femmes en moi. Quand je ne bois pas, je ne veux pas regarder celle qui boit, la partie blessée en moi,
comme si elle était trop sale pour que Dieu puisse l'aimer ;
alors je la nie et je ne lui parle que de la femme lumineuse.
Je comprends maintenant qu'il faut que je laisse Dieu rencontrer cette femme blessée,
qu'il faut que je le laisse pénétrer dans la saleté qui est en moi. »

Sans le savoir, avec ses mots violents, elle disait quelque chose qui est dans le Prologue de l'Évangile de saint Jean,
que la Lumière doit pénétrer dans les Ténèbres.

Si nous nions les ténèbres,
parce que nous nous pensons purs, sans ténèbres,
la lumière ne peut pénétrer,
de la même façon, si nous ne nous considérons que comme des êtres de ténèbres, indignes de la rencontre avec Dieu,
nous nous enfermons dans nos ténèbres,
nous nous fermons à la lumière,
nous lui interdisons de pénétrer en nous.

Le mystère de l'Incarnation,
c'est Dieu qui veut pénétrer tout notre être.

Il connaît nos blessures,
il connaît les blessures de cette femme de Samarie,
il sait qu'elle a été blessée dès le début de sa vie
et que nous avons tous été blessés depuis que nous étions tout petits.
Il sait que ce monde de ténèbres, de peurs, de culpabilité en nous s'est constitué très tôt, avant même que nous puissions en avoir conscience.
Dieu veut pénétrer dans cette partie fermée, obscure, douloureuse de notre être
pour nous libérer.

La femme de Samarie est en moi ;
c'est toute cette part en moi où je me sens coupable de ne pas savoir aimer.

L'homme ne sait pas aimer sa femme,
la femme ne sait pas aimer son mari,
les parents ne savent pas aimer leurs enfants et les enfants leurs parents.
Nous sommes tous enfermés dans la même histoire,
la même impossibilité,
la même incapacité.

Or, c'est à cette femme blessée que Jésus s'adresse,
c'est à elle, en moi, que Jésus assis plus bas que moi,
obligé de lever les yeux vers moi,
dit : « J'ai besoin de toi, donne-moi à boire ».

Et notre réaction est la même que celle de la Samaritaine :
« Comment, toi, un juif, tu me parles à moi, une Samaritaine ? »

« Comment ? Toi, Jésus, tu me parles à moi,
qui suis si pauvre, si sale, si coupable ?
Je suis trop insignifiant, trop petit, trop blessé pour que tu puisses
me demander quelque chose ».
C'est une réaction très spontanée, très naturelle,
la même que celle de Pierre quand Jésus veut lui laver les pieds,
ce n'est pas possible que tu te mettes plus bas que moi !

Jésus regarde la femme et lui dit : « Donne-moi à boire. »
Quand elle a répondu, il la regarde de nouveau et lui dit :
« Si tu savais le don de Dieu… »

Si nous savions le don de Dieu…

Pour que nous puissions entendre Jésus nous demander à boire,
pour que nous cessions de fuir
et que nous arrivions à accueillir dans la lumière
notre don spécifique
et nos blessures,
il faut du temps et du silence.

TROUVER LA SOURCE D'EAU VIVE

Je crois que cette rencontre de Jésus avec la Samaritaine est une annonce de l'alliance,
un moment de communion, de tendresse et de vérité.

Jésus va révéler à cette femme que le vrai puits où s'abreuver n'est pas le puits de Jacob
mais son cœur à elle.

Il lui dit :
« Si tu savais le don de Dieu
et qui est celui qui te dit :
Donne-moi à boire,
c'est toi qui l'en aurais prié
et il t'aurait donné de l'eau vive. »

Elle est tout étonnée,
elle ne comprend pas bien :
« Seigneur, lui dit-elle, tu n'as rien pour puiser. Le puits est profond. Où la prends-tu donc, l'eau vive ? Serais-tu plus grand que notre père Jacob qui nous a donné ce puits et y but lui-même, ainsi que ses fils et ses bêtes ? »

Jésus lui répond : « Quiconque boit de cette eau
aura soif à nouveau ;
mais qui boira de l'eau que je lui donnerai
n'aura plus jamais soif. »

et il ajoute cette phrase étonnante, la phrase la plus étonnante peut-être de l'Évangile :
« L'eau que je lui donnerai
deviendra en lui source d'eau
jaillissant en vie éternelle. »

C'est extraordinaire cette promesse faite à cette femme blessée, rejetée,
si pauvre et qui se sent si coupable.
Jésus lui dit : Si tu bois de l'eau que je te donnerai,
elle deviendra en toi une source jaillissante,
tu donneras à boire aux autres, à beaucoup d'autres,
tu leur donneras vie, la vie même de Dieu
– car c'est cela que symbolise l'eau –
et tu seras féconde.

Jésus désire que nous soyons des hommes et des femmes féconds,
prêts à transmettre la vie.

La transmission de la vie est un des grands mystères de l'univers :
c'est extraordinaire !
Les araignées donnent naissance à des araignées qui donnent naissance à des araignées depuis des siècles et des siècles,
et les girafes donnent naissance à des girafes,
et les papayes à des papayes... C'est un flot ininterrompu,
chacun transmettant à l'autre une vie qu'il a lui-même reçue.
C'est extraordinaire et, pour l'homme et la femme,
c'est encore plus étonnant
parce qu'il y a pour eux plusieurs façons d'être féconds.

D'abord, bien sûr, en concevant un enfant et en lui donnant naissance,
mais cela ne suffit pas.

Pour que l'enfant puisse vivre,
qu'il puisse s'épanouir,
qu'il devienne un être vivant porteur de vie,
il a besoin de beaucoup d'amour, de sécurité, de tendresse.

Il a besoin de communion avec sa mère,
avec son père,
avec ceux qui l'entourent.

L'être humain est fait pour la relation d'amour,
pour l'alliance ;
c'est elle qui lui donne vie et le fait vivre.

Si une maman araignée n'aime pas ses petites araignées,
ce n'est pas très grave ! C'est normal !
Mais si des parents n'établissent pas une relation d'amour avec leur enfant,
s'ils ne l'entourent pas de leur tendresse,
de leur compréhension, de leur douceur et de leur force,
c'est grave.
Cette première alliance est essentielle
car elle conditionne la vie relationnelle de l'enfant par la suite

C'est là le mystère de l'être humain :
il est fait pour l'amour et pour la communion
et c'est par l'amour qu'il devient fécond,
c'est-à-dire qu'il donne vie à un autre.

J'ai vécu quand j'avais treize ans, une expérience très forte,
qui a été comme une nouvelle naissance,
la troisième.
La première, c'est quand je suis né,
la deuxième a été mon baptême
et la troisième, c'est quand j'ai voulu entrer dans la Marine de guerre anglaise.
C'était la guerre, nous habitions au Canada et il fallait donc que je traverse l'Atlantique à un moment où un bateau sur trois était coulé par les sous-marins allemands.
Je suis allé voir mon père et je lui ai dit ce que je souhaitais faire.
Il m'a demandé pourquoi.
Je ne sais plus ce que je lui ai répondu, mais je n'ai jamais oublié ce qu'il m'a dit : « J'ai confiance en toi. Si c'est ce que tu veux, il faut que tu le fasses. »

Ce jour-là, il m'a fait naître de nouveau.
S'il avait confiance en moi, alors moi aussi je pouvais avoir confiance en moi-même.
S'il m'avait dit d'attendre d'être plus vieux, j'aurais attendu,
mais j'aurais implicitement compris que mon intuition n'était pas bonne,
que je ne pouvais me faire confiance.
Mais, il a dit : « J'ai confiance en toi » et cela m'a aidé à me faire confiance et m'a appris à faire confiance aux autres.

Quand on aime quelqu'un, on lui donne naissance,
on lui donne confiance en lui-même,
on lui montre combien il est beau,
on lui révèle la puissance d'amour qui est en lui
et sa capacité à donner la vie.

En disant à cette femme de Samarie qu'en elle l'eau qu'il lui donnera deviendra « source d'eau jaillissant en vie éternelle »,
Jésus lui révèle qu'il y a un puits en elle,
une source,
une source divine.

Nous ne savons pas qu'en nous il y a une source.

Nous savons que nous avons une intelligence,
nous savons que nous pouvons produire des choses,
nous savons que nous éprouvons des émotions, des désirs, des pulsions,
mais nous ignorons qu'il y a en nous
un puits de tendresse,
une source qui peut donner la vie,
une source que peut donner l'amour même de Dieu.

Souvent même, nous avons peur de la tendresse quand nous la sentons affleurer en nous,
elle nous semble liée à l'émotivité, à la sexualité, à la faiblesse,
elle nous remplit de confusion, parce que nous ne savons pas quoi en faire.

Et pourtant la tendresse, mystérieusement, est présence de Dieu.
Nous le sentons profondément
quand nous pouvons la vivre avec des personnes ayant un handicap mental.

Jésus révèle à la Samaritaine ce mystère qui est en elle :
elle est capable d'aimer,
elle peut devenir un puits, une source de vie éternelle
si elle s'abreuve à la source qu'est Jésus.

C'est le grand secret pour chacun de nous :
si nous buvons à la source qu'est Jésus,
nous pouvons devenir une source de tendresse qui donne vie au monde
et combler ce désir de Jésus que nous soyons féconds et portions beaucoup de fruits.

ACCUEILLIR LE PAUVRE CACHÉ EN SOI

La Samaritaine est toute confuse et ne comprend pas bien ce que Jésus lui dit ; elle demande alors :
« Seigneur, donne-la-moi cette eau-là, afin que je n'aie plus soif et que je n'aie plus à venir ici pour puiser. »

Jésus interrompt alors, apparemment, cette conversation qui se déroule sur deux plans différents, en lui disant :
« Va, appelle ton mari et reviens ici. »

Jésus est étonnant,
il ne juge pas cette femme,
il ne la condamne pas,
il attire son attention sur sa blessure, sa fragilité, sa faiblesse ;
il lui révèle son malheur qu'elle avait caché,
qu'elle s'était peut-être même caché à elle-même.

La femme répond alors : « Je n'ai pas de mari ».
Jésus reprend : « Tu as raison de dire : "Je n'ai pas de mari" ; car tu as eu cinq maris et l'homme que tu as maintenant n'est pas ton mari ; en cela tu dis vrai »

Cette petite phrase : « En cela tu dis vrai »
est très importante.
Jésus veut que cette femme découvre la vérité de son être, qu'elle ne vive pas dans l'illusion,

qu'elle découvre simplement qui elle est
et qu'elle sache aussi que Jésus ne la juge ni ne la condamne.
C'est à cette condition seulement qu'elle pourra devenir source jaillissante de vie.

Une seule chose est importante :
que nous soyons vrais,
que nous échappions aux mensonges, aux illusions, aux faux-semblants et même aux rêves et aux théories
qui nous enferment dans un monde illusoire où nous sommes coupés de notre réalité profonde.

Dans la mesure où nous acceptons nos blessures,
nous entrons dans le chemin de l'unité ;
dans la mesure où nous refusons de regarder notre vérité,
nous maintenons une cassure à l'intérieur de nous-même.

Dès que nous acceptons cette partie de nous-même que nous refusions de regarder,
que nous refusions de reconnaître,
que nous refusions d'admettre,
l'unité commence à se faire à l'intérieur de notre être,
et c'est de l'unité que jaillit la fécondité.

Pendant une retraite, Jésus nous demande de toucher nos blessures,
d'apprivoiser nos faiblesses,
de rejoindre la part cachée de notre être
notre propre pauvreté contre laquelle nous nous sommes protégés, en élevant autour d'elle
de hautes murailles de savoir, d'efficacité, de générosité,
ou de colère, de tristesse, de dépression...

Quand j'ai quitté la direction de la communauté de Trosly en 1980,
j'ai vécu un an comme assistant à la Forestière, un foyer qui accueille des personnes très pauvres.
Il y avait là Eric dont je vous ai parlé
et aussi Lucien.

Lucien est né avec un très lourd handicap:
il ne regarde pratiquement jamais dans les yeux, ne parle pas, ne marche pas, ne peut pas se servir de ses mains;
il reste assis là où on le pose, un peu recroquevillé sur lui-même.

Lucien a vécu les trente premières années de sa vie avec sa mère,
– son père est mort quand il avait douze ans –
ils étaient très proches l'un de l'autre,
elle s'occupait de lui, le comprenait,
savait interpréter chacun de ses mouvements, de ses cris, de ses expressions:
il était en sécurité avec elle et vivait dans la paix.

Et puis, un jour, elle est tombée malade et a dû être hospitalisée.
Lucien, de son côté, a été mis dans un autre hôpital.
Il s'est brusquement trouvé plongé dans un monde totalement inconnu,
où il n'avait plus aucun repère,
où personne ne pouvait réellement le comprendre.
Pris d'angoisses épouvantables, vivant une sorte de mort intérieure,
il s'est mis à crier toute la journée.

Finalement, il est venu dans notre communauté.
Il était très souvent saisi d'angoisses irrépressibles qui le faisaient hurler et contre lesquelles on ne pouvait rien.
Nous étions impuissants à le calmer,
nous ne pouvions même pas le toucher tant cela redoublait son angoisse et sa peur;
il n'y avait rien d'autre à faire que d'attendre.

Ce cri d'angoisse de Lucien était très aigu et j'avais l'impression qu'il pénétrait profondément en moi,
dans des zones secrètes de mon être,
réveillant ma propre angoisse.
Je sentais naître en moi de la colère, puis très vite de la haine et de la violence,
J'aurais été capable de tout pour le faire taire.
C'était comme si toute une partie de mon être que j'avais appris à contrôler explosait brusquement en moi.

C'était très difficile à vivre,
pas seulement cette angoisse de Lucien
mais cette révélation de ce qui se passait en moi,
la découverte que moi qui avais pour vocation de vivre avec les faibles, j'étais capable de leur faire du mal,
qu'il y avait en moi des puissances de violence et de haine
que leur cri pouvait réveiller.

J'ai compris là ce qui pouvait se passer dans le cœur d'une maman qui maltraite ses enfants.
Souvent, il s'agit d'une femme seule, abandonnée,
elle est triste, angoissée, dépressive ;
elle peut à peine faire face aux soucis de son travail,
aux charges matérielles.
Elle a du mal à se porter elle-même.

Et quand elle rentre le soir, elle aurait juste la force de leur faire à manger, ou de les mettre devant la télévision ;
mais ce n'est pas ce qu'ils attendent d'elle.
Ils ont besoin d'amour, d'attention, d'échanges,
alors ils crient.
Et elle, elle est « épuisée », son puits est vide,
elle ne peut plus rien donner et ne supporte pas ce cri qui l'arrache à elle-même.
Leur propre cri pour être aimés réveille le sien,
et cela lui fait mal ;
la colère monte et elle frappe pour libérer une tension en elle et pour les faire taire.

C'est affreux de découvrir en soi cette capacité de haine et de violence et de voir comme nous sommes fragiles.
Il suffit de peu de choses pour que la haine et la violence nous dominent même si ce n'est qu'au niveau psychologique, cela n'en ait pas moins réel.
Et comme c'est difficile de regarder cela en face,
grande est la tentation de fuir ceux qui nous révèlent la profondeur de notre blessure ;
c'est là la source de tous les racismes, de tous les rejets et de toutes les exclusions.

Mais c'est très important justement de ne pas fuir,
d'avoir quelqu'un à qui parler de ces démons intérieur,
quelqu'un qui nous aide par la parole à explorer ce m
ténèbres et à exorciser tous ces fantômes qui nous han
l'intérieur.

C'est une lettre du psychanalyste Carl Jung, un disciple de Freud, qui m'a aidé à cette époque à comprendre quelque chose d'important.
Jung écrivait à l'une de ses correspondantes chrétiennes ces paroles que je redis de mémoire :

« Je vous admire, vous les chrétiens, parce que, en quelqu'un qui a faim ou soif, vous voyez Jésus. Quand vous accueillez un étranger, ou quelqu'un d'étrange, vous accueillez Jésus. Quand vous vêtez quelqu'un qui est nu, vous vêtez Jésus. Je trouve cela très beau, mais ce que je ne comprends pas, c'est que vous ne voyez jamais Jésus dans votre propre pauvreté. Vous voulez toujours faire du bien au pauvre qui est à l'extérieur de vous et, en même temps, vous niez le pauvre qui est à l'intérieur de vous. Pourquoi ne pouvez-vous pas voir Jésus dans votre propre pauvreté ? Dans votre propre faim et soif ? Est-ce que vous ne voyez pas qu'il y a aussi un malade à l'intérieur de vous ? Que vous êtes aussi enfermé dans une prison de peur ? Qu'il y a des choses étranges en vous : des violences, des angoisses, des choses que vous ne contrôlez pas et qui sont étrangères à votre volonté ? Il y a un étranger à l'intérieur de vous, et il s'agit d'accueillir cet étranger, de ne pas le mettre à la porte, de ne pas nier son existence, de savoir qu'il est là, de l'accueillir et de voir Jésus en lui. »

Ce texte m'a beaucoup aidé.
C'est vrai, je ne peux recevoir Jésus en moi que si je reçois le pauvre qui est à l'intérieur de moi.
Et à partir de là, j'ai pu découvrir une vérité très simple :
je ne peux vraiment accueillir les blessures d'Innocente, d'Eric et de Luisito,
que si j'accueille mes propres blessures.
Est-ce que je peux avoir une vraie compassion pour eux
si je n'ai pas de compassion pour moi-même ?

Si je nie mes propres blessures, je nierai les blessures des autres
et je les écarterai de mon chemin
pour qu'ils ne me contraignent pas à y penser.

Alors, le mystère du pauvre, c'est qu'il révèle à la fois
le puits de tendresse
et toutes les duretés de notre cœur, toutes nos blessures.
Et le grand secret que Jésus nous révèle, c'est qu'il est présent
dans nos blessures
dans le pauvre qui est en chacun de nous et qu'il s'agit
d'accueillir
comme nous souhaitons accueillir Innocente, Luisito, Claudia…

C'est cela la signification profonde de la rencontre de Jésus avec
la Samaritaine: «En cela, tu dis vrai».
Pour que nous soyons des hommes et des femmes féconds,
il faut que nous vivions dans la vérité,
il faut que nous trouvions l'unité à l'intérieur de nous.
Il ne s'agit pas de nier nos blessures mais de les accueillir,
de découvrir que Dieu y est présent.

Quatrième jour

« AIMEZ-VOUS LES UNS LES AUTRES COMME JE VOUS AI AIMÉS »

APPRENDRE À VIVRE ENSEMBLE

Tout commence un jour par l'appel de Jésus :
« Viens, suis moi », nous dit-il ou bien :
« Aujourd'hui, je veux demeurer chez toi. »
Tout commence par cette rencontre cœur à cœur avec Jésus et cet appel personnel.
Et puis, dans une deuxième étape, Jésus nous fait rencontrer d'autres personnes qu'il a appelées elles aussi ;
elles sont toutes différentes et toutes appelées : c'est la création de la communauté.

J'aime beaucoup retrouver dans l'Évangile toutes ces scènes familières qui nous montrent combien nous réagissons tous de la même façon.
Ainsi, dès que Jésus a le dos tourné,
ses disciples commencent à se mesurer les uns aux autres,
à se disputer pour savoir qui est le plus grand, le meilleur, le plus capable
et les mamans interviennent comme elles seules savent intervenir !
Regardez Madame Zébédée qui demande carrément à Jésus les premières places dans son Royaume pour ses fils...
Vous imaginez la tête de Pierre, de Matthieu, de tous les autres ? Ils sont stupéfaits et plutôt mécontents.

L'Évangile est si humain. Jésus sait que la rivalité a des racines très profondes dans le cœur humain.
On veut tellement être aimé ou à défaut être admiré.

On a tellement peur de ne pas compter pour les autres qu'on lutte pour s'affirmer, pour prouver qu'on est le meilleur ou pour prendre le pouvoir.

Vivre en communauté ou en famille, ce n'est pas facile !
C'est même parfois très difficile.
Dès que des humains sont rassemblés,
ils se mettent à lutter pour avoir la meilleur place ou pour le pouvoir ;
pas toujours pour l'exercer réellement mais souvent simplement pour être le plus en vue,
pour montrer qu'ils savent mieux que les autres et qu'ils sont les plus forts.

Jésus nous appelle à vivre en communauté pour que nous ayons aussi cette expérience du conflit,
que nous découvrions aussi qu'il y a des gens que nous aimons et d'autres que nous ne supportons pas,
que nous prenions conscience de ce que cela provoque en nous.
Chacun en effet réagit différemment :
certains s'enferment dans la dépression, d'autres fuient dans les compensations, ou sont rongés par la jalousie ou bouleversés par la haine ou la colère…

C'est important que nous fassions cette expérience parce qu'alors nous comprendrons un peu mieux ce que Jésus demande à ses apôtres quand il leur dit : « Aimez-vous les uns les autres. »
Et nous, nous nous écrions : « Non ! Je ne peux pas aimer celui-ci ou celle-là ! »
Et Jésus dit encore : « Mais, je vous le dis à vous qui m'écoutez : aimez vos ennemis, faites du bien à ceux qui vous haïssent, bénissez ceux qui vous maudissent, priez pour ceux qui vous maltraitent. » (Lc 6, 27.29)

Et il ajoute qu'il est facile d'aimer ceux qui nous aiment.
C'est vrai, nous sommes tous attirés par les compliments, la bonne opinion que les autres ont de nous, par la flatterie même.

Mais Jésus nous dit : « Au contraire, aimez vos ennemis, faites du bien et prêtez sans rien attendre en retour. »

Et l'ennemi n'est pas au loin, ce n'est pas un étranger armé
mais souvent quelqu'un de tout proche de moi :
cette personne que je ne supporte pas dans ma communauté, dans ma famille, à mon travail,
celle qui me met en danger parce qu'elle est trop différente et qu'elle m'empêche d'être moi,
celle qui menace ma liberté, ma créativité, ma joie de vivre par sa seule présence,
celle qui provoque en moi de la colère ou de la dépression ou de l'agressivité.

Une des choses importantes pendant une retraite, c'est aussi de découvrir qui est son ennemi.
C'est très important de se demander en vérité, devant Dieu,
qui est celui qui me bloque, me menace, m'angoisse, me fait fuir dans la tristesse ou l'agressivité.

Il est normal que nous ayons des ennemis,
c'est-à-dire des gens qui touchent notre vulnérabilité, qui éveillent nos mécanismes de défenses,
cela fait partie de notre humanité.
Et pourtant Jésus nous dit : « Aimez vos ennemis. »

Une femme m'a dit : « Je découvre que mon ennemi est mon mari.
Il est content que je m'occupe du ménage ou de la cuisine, mais il ne m'écoute jamais, ne me demande jamais mon avis et ne fait aucun cas de ce que je dis ;
c'est comme si je n'existais pas pour lui.
Alors je sens naître en moi toutes sortes de colères contre lui
et je ne sais quoi faire de ce monde haineux et bouleversé qui est en moi. »

Un homme me disait : « Je découvre que mon fils aîné est mon ennemi.
Dès qu'il ouvre la bouche, il m'exaspère,

je le contredis et j'ai envie de le faire taire. Si mon second fils ou ma fille dit la même chose, je les écoute,
mais de lui, je n'accepte rien et il provoque en moi toute une série de réactions négatives que je ne comprends pas.»

Quelques jours après, il est revenu me parler:
«Je commence à mieux comprendre ce qui se passe, m'a-t-il dit. Je commence à comprendre pourquoi je le rejette ainsi constamment:
j'ai l'impression de retrouver en lui tous mes défauts
et ce sont mes défauts que je rejette quand je le repousse ou ne veux pas l'entendre.»

Découvrir qui est son ennemi est très important pendant une retraite.
Alors je vais vous demander de vous interroger dans le silence
et de chercher qui provoque de la peur en vous, qui vous vous efforcez d'éviter, avec qui vous refusez de dialoguer, qui vous ne voulez pas entendre…

Et puis amenez cette personne à votre conscience,
et là, écoutez Jésus vous dire: «Aime-la».

Alors, vous prendrez aussi conscience de vos résistances: «Non, ce n'est pas possible. Je n'y arrive pas, elle m'a fait trop de mal, elle provoque en moi de trop grandes angoisses, elle me détruit… Je ne peux pas l'aimer!»
Et il peut même alors y avoir de la colère en vous contre ce qui vous semble être une exigence excessive:
«Ce que tu me demandes est trop dur.
Je ne peux pas l'aimer! C'est tout simplement impossible.»

Ecoutez Jésus vous dire: «C'est vrai; tu ne peux pas, mais fais-moi confiance, rien n'est impossible à Dieu.»
Car ce commandement est d'abord une promesse: «Avec moi, tu pourras aimer, jusqu'à aimer tes ennemis.»

Nous devenons vraiment chrétien quand nous découvrons
que Dieu est le maître de l'impossible

et que nous avons besoin de l'Esprit Saint pour faire ce que nous ne pouvons pas faire par nous-mêmes.

Quand le jeune homme riche s'en va tout attristé, parce qu'il a beaucoup de biens et qu'il n'ose les laisser pour suivre Jésus, Jésus lui aussi est triste et blessé et il dit:
«Comme il est difficile d'entrer dans le Royaume de Dieu. Il est plus facile à un chameau de passer par le trou de l'aiguille, qu'à un riche d'entrer dans le Royaume de Dieu!»
Alors Pierre et les apôtres sont très inquiets, parce qu'ils ont conscience d'être riches eux aussi et ils interrogent: «Qui peut être sauvé?»
Jésus répond: «Pour les hommes, impossible, mais non pour Dieu: car tout est possible à Dieu.» (Mc 10, 24-27)

Tant que nous n'avons pas découvert que ce qui est impossible aux hommes
est possible à Dieu,
nous ne sommes pas vraiment disciples de Jésus.
La vie du disciple,
c'est d'aller jusqu'au bout, jusqu'à ce que cela devienne impossible
et de découvrir alors que Dieu peut rendre l'impossible possible.

Tant que nous croirons que nous pouvons vivre l'alliance que nous avons nouée, dans notre communauté ou dans notre famille, avec nos seules forces,
nous ne serons pas encore vraiment dans l'alliance.

Tant que nous croirons que l'alliance dépend de notre seul choix:
«Je me sens bien dans la communauté, les personnes me font du bien, je veux me dévouer et servir...»,
nous n'aurons pas découvert réellement ce qu'elle est.

L'alliance est un don de Dieu.
C'est Lui qui me donne la force de la vivre au jour le jour et je reconnais que seul, je n'y arriverai pas.
L'alliance se révèle quand je commence à me dire: «Je ne peux pas, je ne pourrai jamais passer ma vie avec ces gens-là

mais ce que je ne peux pas,
je sais que Dieu peut le faire. »

Il faut que je touche d'abord ma pauvreté en face du pauvre, pour découvrir que le changement vient de Dieu.
Il faut que je constate que je suis incapable de vivre dans la paix avec les autres
pour découvrir que le cœur de l'Évangile est le pardon
et que la réponse de Dieu au conflit, à la guerre et à la désunion entre les hommes, c'est la réconciliation.

Oui, la réconciliation est un don de Dieu qui nous arrache à la culpabilité, à l'oppression, à la compétition et à la haine.
Je vous ai déjà beaucoup parlé de cette culpabilité qui est en nous et qui nous paralyse,
nous fait douter de nous-mêmes,
nous rend ou déprimés ou agressifs,
et qui peu à peu nous enferme dans un sentiment de dégoût et de mort.
Jésus, par le pardon, est venu nous libérer de la culpabilité et faire de nous des hommes et des femmes libres et vivants.

L'inverse du pardon est la séparation :
je fais tout pour éviter cette personne, pour ne pas la rencontrer et même je serais assez content si elle pouvait décider de partir ou si elle tombait dans un trou et disparaissait.
Je peux même me réjouir s'il lui arrivait quelques malheurs ou s'il apparaissait bien clairement qu'elle avait tort et que tout le monde la rejette.

Le pardon est d'abord la reconnaissance de l'alliance,
non pas un étalage de bons sentiments, ni une exaltation passagère qui nous mettrait d'un coup dans l'effusion avec tel ou tel que l'on fuyait jusque-là,
mais la reconnaissance dans la profondeur de notre être
qu'il y a une alliance entre nous,
que cette personne qui m'est peut-être antipathique ou qui ne m'attire en rien
a le droit d'avoir une place dans ma communauté, dans ma famille, dans la société, dans l'Église,

qu'elle a le droit de vivre et de grandir,
que c'est Jésus qui l'a appelée à cette place et que je dois la respecter.

Le pardon commence par le respect de la place d'autrui.
Il faut reconnaître ensuite que pardonner va prendre du temps.

Je me souviens d'un jeune assistant qui, après une retraite, m'avait dit:
«J'ai beaucoup pensé à l'alliance avec mon père. Il m'a fait beaucoup de mal quand j'étais jeune. Il était très autoritaire, ne m'écoutait jamais et passait son temps à me diminuer à mes propres yeux.
J'ai quitté la maison parce que je ne le supportais pas.
Je commence à découvrir que je n'ai pas seulement une alliance avec ceux de ma communauté
mais aussi avec lui;
je commence à lui pardonner.»

Alors je lui ai dit: «Peut-être pourrais-tu aller le voir?»
Il m'a répondu:
«Non, je ne suis pas prêt, je suis encore trop vulnérable.
Il est très fort et je suis encore trop fragile;
si je vais le voir maintenant, il va m'écraser. Il faut que je prenne du temps pour me fortifier, pour me redresser.»
J'ai beaucoup aimé cela.
Nous sommes tous comme des arbres tordus qui avons besoin de nous redresser et de réapprendre à pousser droit et cela peut prendre du temps. Ce jeune homme avait vraiment pardonné, il avait vraiment accueilli son père,
mais il savait qu'il fallait attendre que l'Esprit Saint le fortifie pour rencontrer son père.

Je me souviens aussi de cette religieuse: elle me parlait d'une femme qui avait beaucoup souffert et qui était en prison.
Je ne connais pas exactement les détails de son histoire mais je sais qu'elle avait été condamné à cause du faux témoignage d'un homme.
Cette femme disait: «Je ne peux pas pardonner. Il m'a fait trop de mal.»

Mais elle ajoutait: «Je prie Jésus qu'Il lui pardonne.»
Cette femme avait vraiment pardonné, mais ses sentiments n'avaient pas encore eu le temps de changer. Son être profond avait pardonné mais il fallait que ce pardon pénètre sa sensibilité. Le fait qu'elle dise: «Je prie Jésus de lui pardonner» montrait que le pardon était au fond de son cœur.

Le pardon est divin, c'est le secret le plus profond de Jésus,
c'est le cœur de l'Évangile,
c'est le don que Jésus veut nous faire
pour que nous devenions des agents d'unité, des artisans de paix.
Une communauté, une famille ne peut pas exister si elle ne se fonde pas sur le pardon. Et le pardon commence par la reconnaissance que chacun a sa place, a un don à exercer.

Pour vivre l'alliance,
pour assumer notre rôle dans la communauté de l'Arche, comme dans nos familles, comme dans la société,
il faut que nous soyons des hommes et des femmes de pardon.

NE PLUS QUITTER JÉSUS

Jésus parle de pardon, il guérit et libère les petits,
il redresse ceux qui sont courbés sous le joug de la loi,
il exacerbe ainsi la colère et la jalousie d'un certain nombre de scribes et de pharisiens qui cherchent alors à l'enfermer dans un piège. (Jn 8, 2-11).

Ils lui amènent une femme surprise en flagrant délit d'adultère : non pas que cette femme les intéresse,
ils l'utilisent simplement pour mettre Jésus dans l'embarras.
Si Jésus parle de pardon pour elle,
il se met en contradiction avec la loi de Moïse qui prescrit de « lapider ces femmes-là »,
et s'il la condamne conformément à la loi, c'est lui qui se contredit car il a tant parlé du pardon.

D'abord Jésus ne dit rien,
il se baisse et commence à écrire sur le sol.
On ne sait pas ce qu'il écrit ni pourquoi il écrit, mais il est là, silencieux, en train d'écrire.
Alors les pharisiens et les scribes insistent : « Et toi, qu'en dis-tu ? »
On sent toute la colère, toute l'agressivité, toute la violence qui est en eux.
Jésus se redresse les regarde et dit :
« Que celui de vous qui est sans péché lui jette la première pierre ! » Et se baissant de nouveau, il se remet à écrire sur le sol.

L'Évangile dit qu'ils partirent les uns après les autres, en commençant par les plus anciens,
parce que c'était le plus ancien qui devait jeter la première pierre.

Ils partent tous et Jésus reste seul avec la femme...
Il faut se représenter toute l'horreur de ce que cette femme a ressenti :
la honte, la peur, l'angoisse, la culpabilité et surtout cette immense terreur d'être lapidée.
C'est sans doute la première fois qu'elle voit cet homme de Nazareth vers qui on l'a trainée, peut-être à moitié nue, comme devant un juge.
Et lui, en un instant, il la libère.

Jésus se redresse à nouveau.
On peut imaginer alors ce silence autour d'eux
et un changement total dans l'intonation de sa voix lorsqu'il lui dit :
« Femme, où sont-ils ? Personne ne t'a condamnée ? »

« Où sont-ils ? » comme si elle savait et lui ne savait pas... C'est étrange, on sent soudain comme une fragilité chez Jésus.
« Personne, Seigneur », répond-elle.
Alors : « Moi non plus, lui dit Jésus, je ne te condamne pas. Va, désormais, ne pèche plus. »
C'est très simple : Jésus n'est pas venu pour condamner cette femme.
Jésus n'est pas venu pour nous condamner :
il est venu pour nous donner la vie.

Cela, nous avons du mal à le comprendre.
Ce texte si clair a pourtant fait beaucoup s'interroger l'Église au IVe siècle.
Certaines versions de la Bible ne l'ont pas gardé,
comme si on c'était impossible que Jésus ne condamne pas l'adultère.
Je crois que nous nous interrogeons toujours.
Jésus nous étonne toujours beaucoup et nous ne comprenons pas bien qui il est.
Que veut dire Jésus quand il nous dit de ne plus pécher ?

Car ici l'adultère, comme dans les textes d'Ezéchiel ou dans ceux de beaucoup d'autres prophètes, est un symbole du péché.
Le péché, dans l'Écriture Sainte, c'est de quitter l'Époux Divin,
de se détourner de celui qui nous aime, protége, abreuve,
pour aller boire à d'autres sources
et chercher ailleurs la vie qu'il nous donnait.

C'est très important de bien comprendre ce qu'est le péché.
Le péché n'est pas d'abord la transgression de la loi. C'est cela, mais ce n'est pas cela d'abord.

Toute l'Écriture Sainte et en particulier les évangiles et les épîtres de saint Paul le disent très clairement.

Pécher, c'est tourner le dos à Jésus, ne plus avoir confiance en Lui,
ne croire ni en ses promesses ni en sa parole,
douter de son alliance
et ne plus se laisser nourrir de sa présence.
Pécher, c'est se couper de sa vie
ne plus vivre en communion avec Lui,
refuser son corps et son sang,
rejeter sa parole.

Il est évident qu'alors on va transgresser la loi,
transgresser toutes les lois.

Pour vivre de l'Évangile,
pour aimer ses ennemis,
pour être proche des pauvres,
pour être fidèle dans le sacrement du mariage,
pour vivre de façon aimante,
il faut être vivant
et on ne peut l'être que si l'on est en communion avec celui qui est la Vie même.

Alors, quand Jésus dit à cette femme: « Va et ne pèche plus », il dit en fait: « Va et ne me quitte plus. Demeure dans mon amour.

Accepte de vivre.
Nourris-toi de ma présence, nourris-toi de mon amour, de mon corps et de mon sang. Choisis ce qui est bon pour toi et te fait vivre.»

C'est vrai, il faut faire attention: il y a des nourritures empoisonnées,
de prétendus amis, de mauvais films, de mauvais livres,
des façons de vivre
qui peu à peu, si nous n'y prenons garde,
peuvent nous détourner de Jésus
et nous détruire.

Il faut faire attention, car, c'est vrai,
si nous ne sommes pas des êtres vivants, des êtres debout,
nous transgresserons la loi.
Si nous sommes morts,
si nous sommes coupés de la source de la vie,
nous ne transmettrons que la mort.

Alors apprenons à bien nous nourrir:
de la Parole de Dieu,
du Corps de Jésus,
de la prière et
de ce mystérieux sacrement de la présence de Jésus dans le pauvre.

PARDONNER ET ÊTRE PARDONNÉ

Être pardonné, c'est retrouver l'alliance perdue,
ne plus être séparé,
ne plus faire qu'« un » avec Dieu.

Marc dans son Évangile nous parle de Jésus en train d'enseigner dans une maison de Capharnaüm ;
la cour est pleine et personne ne peut passer.
Arrivent quatre hommes portant un paralytique, et comme ils ne peuvent s'approcher à cause de la foule,
ils se montrent très ingénieux,
ils montent sur le toit, retirent quelques tuiles, et font descendre l'homme sur son brancard juste devant Jésus.

Jésus est là en train de parler et brusquement, voilà cet homme qui arrive d'en haut :
il est paralysé, il ne parle pas, il regarde Jésus.
Chez les personnes qui ne peuvent pas parler, toute l'intensité de la relation est dans les yeux,
ils parlent avec les yeux et c'est très touchant.

Et quand il est en face de Jésus,
cet homme le regarde et ses yeux disent :
« Je t'aime, j'ai confiance en toi. Aie pitié de moi ».
Jésus est ému en voyant la foi de ceux qui l'ont fait passer à travers le toit,

en voyant ce regard,
et il dit immédiatement :
« Mon fils, tes péchés sont remis », c'est-à-dire : « Tu es libéré ! »

Bien sûr, dans la foule s'élèvent des murmures.
Les scribes s'étonnent, s'inquiètent, sont mécontents.
Ils n'ont jamais entendu parler d'une chose pareille, jamais rien lu de tel dans leurs livres de théologie !
Cet homme blasphème... Comment ? Il pardonne les péchés, Mais Dieu seul peut pardonner les péchés !

Alors Jésus les regarde et leur dit : « Pourquoi de telles pensées dans vos cœurs ? Quel est le plus facile, de dire au paralytique : "Tes péchés sont remis", ou de lui dire : "Lève-toi, prends ton grabat et marche" ?
Eh bien, pour que vous sachiez que le Fils de l'homme a le pouvoir de remettre les péchés sur la terre, je te l'ordonne, dit-il au paralytique, lève-toi, prends ton grabat et va-t-en chez toi. » (Mc 2, 1-12)
Alors, vous l'imaginez, l'homme saute en l'air !

Ce qui s'est passé est à la fois très beau et très puissant : les yeux de cet homme qui aime Jésus, la colère des scribes et des pharisiens et le geste aimant – mais aussi provocateur – de Jésus.
C'est tout le mystère du pardon.

En disant à cet homme : « Lève-toi et marche » Jésus lui dit en fait la même chose, sur un autre plan, qu'en lui disant : « Tes péchés sont remis. »
Il retire de ses épaules le joug trop lourd qui l'écrasait ;
Il le libère de ce poids de la culpabilité qui l'entravait, l'étouffait, l'empêchait d'aller de l'avant.

Il l'assure que Dieu l'aime,
qu'ils ne sont plus séparés,
qu'il est de nouveau en communion avec Dieu,
et là, alors, Il lui donne des ailes !

Jésus vit dans l'instant présent de l'éternel.
C'est à chaque instant qu'Il nous aime et nous assure de cet amour ;
mais nous, par peur, par regret, par remords, par dégoût de nous-mêmes,
nous avons fermé la porte de notre cœur.
Alors, le pardon,
c'est Dieu qui rouvre cette porte et qui nous dit :
« Tu es mon fils bien-aimé, tu es ma fille bien-aimée.
J'aime être avec toi,
je t'aime.
Je ne m'intéresse pas au passé, je ne me préoccupe pas de l'avenir,
je suis avec toi maintenant,
je veux vivre avec toi et en toi,
et ensemble, nous porterons beaucoup de fruits. »

Le pardon nous fait retrouver l'amour de notre jeunesse,
ce temps des fiançailles avec Dieu et de la promesse : « Je te fiancerai à moi pour toujours et tu connaîtras Yahvé. »

Jésus sait que nous sommes écrasés par le poids de notre culpabilité,
il sait que nous avons besoin d'être pardonnés,
que nous avons besoin d'entendre, physiquement, les mots de notre libération.
Ainsi, dans sa tendresse, il a choisi des êtres humains, ni meilleurs ni pires que les autres,
de simples êtres humains – des prêtres – avec leurs blessures, leurs fragilités, leurs richesses comme les autres,
à qui il a transmis le ministère du pardon.
À quelques-uns dans l'Église, Jésus a dit : « Tu vas pardonner en mon nom. Tu vas me représenter pour le sacrement du pardon. »

C'est important de pouvoir dire à quelqu'un qui écoute en vérité, avec tendresse et compréhension,
tout ce qui nous a blessé,

tout ce qu'on a fait, mal fait ou refusé de faire, tout ce qu'on regrette et qui peu à peu nous emplit le cœur jusqu'à l'empêcher de battre avec espérance.

Verbaliser nos ténèbres est une expérience de libération très importante.
Plus on a été blessé ou plus on a blessé,
plus on a vécu de choses difficiles,
plus on se sent angoissé et coupable,
plus on a douté de l'amour de Dieu,
plus on s'est détourné de Lui,
plus alors on a besoin de parler,
de se libérer par la parole
et d'entendre ensuite celui que Dieu a choisi pour cela nous dire : « Je te pardonne au nom du Père et du Fils et du Saint-Esprit. »

Cinquième jour

« MON DIEU, MON DIEU, POURQUOI M'AS-TU ABANDONNÉ ? »

PÉNÉTRER À L'INTÉRIEUR DE LA SOUFFRANCE

D'une certaine façon,
Jésus est venu dans le monde pour le re-créer,
lui redonner son vrai sens,
nous arracher à nos visions trop humaines
qui nous limitent,
nous empêchent d'espérer,
nous enferment dans l'impossibilité.
Or, «rien n'est impossible à Dieu».

Si nous ne nous plongeons pas au cœur du silence pour goûter cette re-création,
pour nous imprégner de la grâce de Jésus,
pour entrer dans ses vues,
nous risquons de nous épuiser dans l'action, «les choses à faire»,
sans comprendre l'étonnante nouveauté de sa vision.

On nous a appris par exemple qu'il fallait «faire du bien au pauvre» mais la vision de l'Évangile va beaucoup plus loin:
elle nous révèle que c'est le pauvre qui nous fait du bien,
que c'est lui qui est source de vie.
Une maman le sait bien,
c'est son petit
quand il sourit, quand il se tourne vers elle, quand il l'appelle,
qui lui donne vie.

On sait aussi que le petit est appelé à devenir adulte
mais pour Jésus,
c'est l'adulte qui doit devenir petit.
Il y a là tout un renversement de nos certitudes humaines : on n'entrera pas dans le Royaume en devenant toujours plus grand, plus savant, plus puissant,
mais en devenant comme un petit enfant,
parce que le Royaume est un mystère de communion

Si on s'approche du pauvre, du petit,
non pas pour « lui faire du bien », mais pour être avec lui dans la communion,
alors on s'approche de Dieu
et on entre en communion avec Dieu.
On entre dans la célébration
qui nous fait découvrir le cœur de Dieu.

On nous a appris aussi, sinon à nous venger, du moins à exiger la justice :
« Œil pour œil, dent pour dent » est la règle qui régit les sociétés humaines.
Et c'est normal d'avoir envie de se protéger,
de répondre à l'agression par l'agression ou la répression.

Mais Jésus dit autre chose.
Il dit – c'est ce que nous avons médité hier –
« Aime tes ennemis. »
Laisse tomber tes systèmes de défenses.
Tu n'as plus besoin de te protéger, c'est moi ta protection.
Le salut du monde ne dépend pas de plus d'armement,
de plus de lois répressives,
mais de notre capacité d'amour et de pardon,
de notre désir de réconciliation et de notre amour des ennemis.

On a spontanément horreur de la souffrance ;
cela on n'a pas eu besoin de nous l'apprendre,
tous, nous en avons peur.
Or Jésus est venu nous apporter aussi une vision nouvelle de la souffrance.

L'attitude la plus répandue est d'être scandalisé par son existence et de s'efforcer de la bannir,
même si les philosophes ont pu essayer de la justifier comme une purification nécessaire,
ou si certains, les stoïciens, les yogis hindous, ont pu essayer de définir une attitude par rapport à elle :
il s'agirait de ne pas se laisser briser
à force de volonté ou de détachement intérieur,
de dépasser la souffrance en gardant sa sérénité.

Mais Jésus apporte quelque chose d'entièrement nouveau.
Il ne meurt pas dans la sérénité.
Son agonie au Jardin des oliviers est pleine de larmes.
Il a peur et « sa sueur devint comme de grosses gouttes de sang qui tombaient à terre » (Lc 22, 44).
Il supplie : « Que ce calice s'éloigne de moi ».
Il meurt en criant sur la croix : « Mon Dieu, mon Dieu, pourquoi m'as-tu abandonné ? » (Mc 15, 34)

C'est très important de pénétrer dans le mystère de la souffrance.
Ce n'est pas une histoire d'autrefois,
quelque chose que le progrès aurait dépassé.
C'est la réalité de notre monde d'aujourd'hui,
la réalité de nos frères et de nos sœurs qui sont dans des pays en guerre,
la réalité de nos frères et de nos sœurs qui sont malades,
de ceux qui sont en prison, qui ont faim, qui ne savent où dormir,
de ceux que personne n'aime ou qui se retrouvent seuls,
de ceux qui sont en deuil…
C'est la réalité de notre monde.

Pour pénétrer dans ce mystère de la souffrance,
pour découvrir combien profondément nous en avons peur,
je vous propose de prendre un texte de l'Évangile de saint Matthieu.

Jésus vient de confirmer Pierre comme le roc sur lequel il va bâtir l'Église.
Et tout aussitôt après,
dès qu'il a mis de l'ordre

– et c'est très important l'ordre dans un groupe –
« Jésus commença de montrer à ses disciples qu'il lui fallait aller à Jérusalem, y souffrir beaucoup de la part des anciens, des grands prêtres et des scribes, être mis à mort et le troisième jour ressusciter. » (Mt 16, 21)

Dès qu'il a mis de l'ordre, il peut commencer à dire :
je vais partir.
Mais il ne le dit pas directement,
il commence par dire qu'il va beaucoup souffrir,
qu'il va être mis à mort,
qu'il va être tué.
Vous imaginez le désarroi de ces hommes
qui l'aiment,
qui ont tout quitté pour lui,
dont on a dû se moquer en les voyant suivre Jésus,
que l'on a dû critiquer de se lancer ainsi à l'aventure,
de faire confiance à un homme qui passe…

Quelque chose s'écroule en eux et surtout ils ne peuvent supporter d'entendre Jésus dire qu'il va beaucoup souffrir et mourir.
C'est l'effondrement de tous leurs espoirs,
le triomphe de ceux qui se moquaient d'eux.

Pierre, alors, a une réaction très frappante. Il prend Jésus à part et se met à le morigéner en disant : « Dieu t'en préserve, Seigneur. Non, cela ne t'arrivera point ! »
Comme s'il le secouait pour lui enlever des idées noires,
le rappeler à l'optimisme,
comme s'il voulait le rassurer.
Et Jésus a une réaction très forte, pleine de tristesse et peut-être même de colère ; il s'écrie :
« Passe derrière moi, Satan ! »
« Passe derrière moi, tu es mon adversaire, (c'est le sens du mot satan en hébreu) tu es en train de me tenter, de me faire du mal. »

Et il ajoute : « Tu me fais obstacle », que l'on peut traduire aussi par : « Tu m'es un scandale ». Et il y a là un curieux jeu de mots, car le mot grec que nous traduisons par obstacle ou

scandale, signifie au sens propre: « la pierre sur laquelle on trébuche »
Or Jésus vient de dire: « Tu es Pierre et sur cette pierre, je bâtirai mon Église » et maintenant il dit: « Tu es la pierre qui me fait trébucher »

La pierre sur laquelle l'Église est bâtie peut devenir la pierre qui fait scandale,
l'Église elle-même peut devenir cette pierre sur laquelle beaucoup trébuchent
si elle n'est plus le visage de Jésus
mais montre un visage trop culturellement correct
dans lequel on ne peut le reconnaître.

Jésus continue: « car tes pensées ne sont pas celles de Dieu mais celles des hommes ».
C'est très difficile d'entrer dans les pensées de Dieu sur la souffrance.
Notre première réaction est celle de Pierre.
La souffrance nous fait horreur,
nous renvoie à notre première souffrance enfantine,
cette expérience que nous avons tous faite,
qui est au cœur de notre cœur comme une blessure:
la souffrance d'être rejeté, de ne pas être voulu, d'être de trop,
de ne pas être aimé,

C'est vrai, la souffrance physique peut être terrible;
elle peut cependant devenir supportable si on est aidé et si on est aimé.
Mais la souffrance de ne pas être aimé,
d'être seul, est intolérable et rend tout insupportable.

Notre réaction à l'égard de la souffrance est très profonde,
très violente.
La souffrance nous révolte et nous ne comprenons pas qu'elle puisse exister.
Elle est « l'insupportable »
et nous ne pouvons lui trouver ni signification ni sens.

Jésus n'est pas venu expliquer la souffrance ou justifier son existence.
Il nous a révélé autre chose :
que toute souffrance, toute blessure peut devenir offrande,
peut devenir source de vie et être féconde.

Humainement, ce n'est ni compréhensible ni possible,
et ce n'est que par une grâce tout à fait nouvelle de l'Esprit Saint
que nous pourrons, non pas comprendre la souffrance – jamais nous ne la comprendrons –
mais apprendre à l'offrir
et percevoir dans ce don si humble
un mystère d'amour et de communion qui donne vie au monde.

ACCEPTER LE MYSTÈRE DE LA CROIX

Je voudrais pénétrer avec vous dans le cœur de Pierre pour mieux comprendre sa réaction vis-à-vis de la souffrance,
pour mieux comprendre aussi ce qui se passe à l'intérieur de notre propre cœur
et nous aider à découvrir ce qu'est l'Arche,
parce que l'Arche, vous le savez, est fondée sur la souffrance.

L'Arche est née à cause de Luisito, de Marcia, de Claudia, d'Eric...
parce qu'ils souffraient,
parce qu'ils étaient dans l'angoisse,
parce qu'un immense cri jaillissait de leur détresse.

Oui, l'Arche est fondée sur la souffrance, non pas seulement pour essayer de supprimer les causes de cette souffrance,
– on ne le peut pas toujours –
mais pour accueillir celui qui souffre et pour l'aimer.

Et si l'on accueille celui qui souffre, si on cherche à le comprendre, si on l'aide, si on l'aime,
sa souffrance sera moins lourde à porter
et se transformera.
Mais l'Arche n'est ni un hôpital ni une école.
Dans un hôpital, les gens guérissent ou meurent, mais de toute façon s'en vont un jour.
Dans une école, on vient pour apprendre et puis on part.
Mais, à l'Arche, on accueille des gens pour la vie.

On accueille des gens très fragiles, très blessés, très angoissés,
qui s'apaiseront sans doute un peu petit à petit,
qui s'épanouiront lentement dans la confiance,
mais qui ne guériront pas,
qui resteront petits, fragiles, faibles,
et en vieillissant, ils découvriront d'autres fragilités, d'autres faiblesses et deviendront encore plus petits.
C'est vrai, les gens à l'Arche se transforment, deviennent plus paisibles,
plus heureux,
mais ce n'est pas pour cela que demain Lita pourra marcher ou que Claudia pourra aller à l'université ou que Luisito parlera :
chacun restera avec sa fragilité.

C'est très important pour nous qui sommes appelés à vivre une alliance avec des personnes souffrantes de mieux comprendre comment nous réagissons face à la souffrance,
mais c'est important pour tout le monde.
Chacun de nous a été blessé ou le sera ou rencontrera un jour sur sa route un être blessé,
c'est très important pour chacun de nous de pénétrer à l'intérieur de la souffrance.

Pierre, lui, ne supporte pas la souffrance
et quand Jésus sera arrêté et maltraité, il dira par trois fois : « Je ne connais pas cet homme. » L'Évangile de Matthieu dit même que la troisième fois, il a commencé à jurer et à crier : « Je ne connais pas cet homme ! »
Or Pierre n'est pas un peureux. C'est un homme courageux, prêt à se battre pour celui qu'il aime, prêt à mourir pour Jésus.
Il lui a dit : « Je donnerai ma vie pour toi. »
Et là, il dit : « Je ne connais pas cet homme. »

Quelque chose s'est cassé en lui.
Il s'est mis à douter,
et c'est vrai qu'il ne reconnaît pas dans cet homme blessé et qui souffre celui qui l'avait ébloui par la pêche miraculeuse
et l'avait entraîné à sa suite,
celui qui parlait avec autorité et faisait des miracles.

Pierre a été séduit par un Jésus fort, puissant, et il l'a suivi à cause de cette puissance.
Beaucoup entrent ainsi dans le mystère et deviennent chrétiens parce qu'ils ont été éblouis par la gloire et la puissance de Dieu,
mais ce n'est que la première porte.

Pierre a suivi Jésus et il a été témoin des guérisons,
de la multiplication des pains,
de la transfiguration,
de la résurrection de Lazare,
de la ferveur des foules.

Il a été fasciné par cette parole libre,
par l'unité entre ce que Jésus disait et ce qu'il faisait
par la nouveauté et la force de sa parole qui donnait vie à tous.

Il a été enthousiasmé par celui qui n'avait pas peur des puissances établies,
qui dénonçait l'hypocrisie de certains pharisiens et scribes,
qui fermait la bouche avec autorité aux savants
et qui libérait les petits du joug trop lourd qu'on leur imposait.

Pierre a vraiment cru qu'il avait fait le bon choix
qu'il était dans « l'équipe gagnante »,
que Jésus était bien le Messie qui libérerait Israël de l'occupant romain,
lui redonnerait dignité, liberté et pouvoir.
Il rêvait de ce triomphe messianique et le croyait là,
à portée de la main.

Nous rêvons tous d'être dans l'équipe qui gagne, que ce soit au football, en politique, ou même dans l'Église…
Nous rêvons tous de faire partie d'un groupe important qui compte aux yeux des autres,
un groupe qui ait raison et l'emporte sur tous.

Or, Jésus est en train de perdre
et Pierre ne le supporte pas.

Il ne comprend pas, il ne peut pas comprendre,
parce que l'Esprit Saint ne le lui a pas encore révélé,
que Jésus va lui donner et nous donner la vie,
pas seulement à partir de sa parole, de ses actes, de ses miracles,
mais à partir de sa souffrance et de sa mort,
à partir de sa petitesse.

Et pour chacun de nous, c'est la même chose.
Il nous faut apprendre à faire le passage,
à comprendre
que le béni de Dieu n'est pas seulement celui qui réussit ce qu'il entreprend,
mais celui qui vit l'échec dans la confiance.

C'est vrai que quand nous réussissons quelque chose,
en particulier dans le domaine religieux,
nous nous sentons bénis.
Mais comment se sentir béni quand on est rejeté ?
Comment ne pas voir dans l'échec quelque chose de négatif ?
Comment ne pas être scandalisé de ce grand échec de la vie qu'est la mort ?
Comment comprendre que le béni de Dieu est celui qui meurt dans la confiance malgré son sentiment d'être rejeté ?

Comment l'être humain peut-il croire à la valeur de l'échec ?
Comment peut-il croire à la valeur de la vie d'Innocente, de Claudia, de Luisito,
de ces êtres humains qui n'ont jamais connu de succès,
eux dont la vie a commencé dans l'échec,
celui de leur corps et de leur esprit blessés,
mais aussi celui de la tristesse et du rejet.
Nous, nous ne pouvons pas le comprendre,
mais Jésus fait pour nous toutes choses nouvelles.

Nous avons tous besoin de nous identifier à un groupe fort et qui réussit
et même si nous arrivons à être accueillants pour des personnes blessées et pauvres,
il peut nous arriver de juger durement une communauté appauvrie et blessée.

Même dans l'Église aujourd'hui, on peut avoir de curieuses réactions et inconsciemment, on se sent porter à admirer les fondations qui grandissent rapidement,
celles qui attirent beaucoup de vocations,
et on doute des communautés souffrantes.

C'est très difficile de comprendre et d'accepter en vérité ce qui est sans doute l'essentiel du message de Jésus : cette union intime entre la Croix, la Résurrection et la confiance dans l'épreuve.
Nous sommes chrétiens
et pourtant nous avons du mal à accepter la Croix :
nous l'adorons mais nous ne la supportons pas.

VIVRE LA COMPASSION AVEC MARIE

Pierre ne supporte pas la souffrance de Jésus et s'enfuit.
Marie, elle,
est au pied de la croix,
elle est même debout au pied de la croix.

Marie n'a pas rencontré d'abord un Jésus puissant.
Elle l'a connu tout petit,
un bébé qu'elle porte en elle,
un petit enfant qu'elle nourrit, porte, lave, réchauffe,
un petit enfant qui a besoin d'être aimé.
C'est peut-être là, le plus grand mystère de l'Incarnation.
Le Dieu fait chair a besoin d'être aimé comme un tout petit enfant pour pouvoir grandir dans l'amour
et Marie pouvait lui donner cet amour inconditionnel parce qu'elle était transparente, pleine de grâce ;
pure, c'est-à-dire sans mélange.

Elle ne l'aimait pas à partir du vide de son être,
de son propre manque d'amour
mais à partir de la plénitude de son être,
parce qu'elle était pleine de grâce.
Nous, nous aimons souvent à partir de notre vide intérieur que nous cherchons ainsi à combler
et souvent nous cherchons alors à posséder ceux que nous aimons : nos enfants, les membres de notre famille ou de notre communauté.

Marie aimait en vérité et en plénitude.
Tout en elle était unifié,
tout ce qu'elle faisait pour Jésus était fait avec lui.
Elle ne se dépêchait pas de le baigner ou de le nourrir pour aller prier,
ses gestes quotidiens étaient eux-mêmes prière puisqu'elle touchait le corps de Jésus.
C'est important de comprendre cela et de voir comment la matière, le corps, peuvent devenir source de vie,
présence de Dieu,
sacrement.

Le sacrement est le lieu de la présence de Dieu.
C'est pourquoi, le premier sacrement est le corps de Jésus,
il est sacrement pour Marie.
Et le pauvre est pour nous sacrement.
Jésus le dit: «Ce que vous avez fait au plus petit d'entre les miens, c'est à moi que vous l'avez fait.» (Mt 25, 45)

Marie tenait dans ses bras un petit enfant qui était son Dieu.
Il y a là un mystère du Corps de Jésus, un mystère du toucher que j'ai un peu mieux compris en touchant le corps d'Eric, en le baignant,
en le tenant avec respect et tendresse,
parce que son corps était le temple de Dieu.
Je lui parlais, mais il était sourd et ne m'entendait pas, alors mes gestes étaient une façon de parler.

À l'Arche, nous sommes très sensibles à ce mystère du Corps de Jésus, parce que beaucoup des hommes et des femmes de l'Arche ne comprennent pas la parole.
Le seul moyen de leur faire découvrir l'amour de Dieu passe par le toucher.
Et nous devons nous approcher d'eux et les toucher avec respect parce qu'ils sont sacrement, présence de Dieu.

Marie touchait le corps de Jésus,
elle portait dans ses bras un petit enfant qui était son Dieu.
C'est un grand mystère, cette foi de Marie,
elle n'était pas scandalisée par la petitesse de Dieu,

par le cri de l'enfant,
par la faim et les larmes de Jésus ;
elle n'est pas scandalisée quand Jésus est crucifié,
qu'il est tout petit sur la croix,
qu'il souffre affreusement sur la croix.

Jésus souffre sur la croix,
des souffrances physiques épouvantables.
C'est important de comprendre ce que Jésus vit sur la croix,
la torture qu'est la crucifixion.
Attaché les bras en l'air, le crucifié ne peut respirer qu'en s'appuyant sur les jambes et les pieds pour se redresser et emplir ses poumons.

C'est pourquoi l'Évangile dit que les soldats romains, pour accélérer la mort des crucifiés et qu'on puisse enlever les corps avant le sabbat, leur cassèrent les jambes.
Jésus étant déjà mort, ils ne lui brisent pas les jambes, mais lui percent le côté de leur lance.

Il faut voir Jésus pendant trois heures qui doit prendre appui sur ses jambes pour trouver un peu d'oxygène,
il s'asphyxie lentement,
il peut à peine parler,
son agonie est lente et horriblement angoissante.

Il faut voir aussi qu'il est nu ;
c'est par pudeur qu'on ne le représente pas ainsi,
mais les esclaves et les gens qu'on crucifiait étaient entièrement dépouillés de leurs vêtements,
de leur dignité ;
cela ajoutait l'humiliation au châtiment.

Il faut voir qu'il est seul.
Tous ses amis sont partis :
Pierre a dit qu'il ne le connaissait pas et il est loin,
les autres disciples eux aussi ont perdu confiance,
ils doutent de lui,
ne croient plus en lui,

ne croient plus ni en sa mission ni en sa parole,
et c'est une souffrance affreuse pour Jésus.

Autour de lui en revanche, des scribes et des pharisiens,
toute une foule haineuse,
ricanent,
se réjouissent de leur victoire,
se moquent de cet homme qui souffre et qu'ils croient avoir vaincu.

Marie est là, debout.
Elle ne dit rien.
Elle a entendu Jésus dire : « Pardonne-leur, Père, ils ne savent pas ce qu'ils font »,
mais cela n'a pas été un cri,
juste un souffle sorti de la bouche de quelqu'un qui peut à peine respirer.

Marie est là et elle n'est pas scandalisée.
Elle sait que c'est l'heure de Jésus.
À Cana, elle a entendu Jésus dire : « Mon heure n'est pas venue. » et maintenant elle sait que c'est son heure.

Au plus profond de son être, elle sait que c'est le moment important,
la prophétie d'Isaïe revient peut-être en son cœur :
ce mystère du serviteur souffrant (Is 53),
l'homme méprisé, sans beauté humaine, homme de douleurs et connu de la souffrance,
par qui le monde est sauvé.

C'est le grand mystère du Nouveau Testament :
nous sommes sauvés par un condamné.
C'est par ses blessures que nous sommes guéris.
Il fallait que le Christ meure pour signifier et accomplir son amour,
que ses souffrances deviennent source de vie,
une mystérieuse porte du ciel.

Marie est là.
Elle n'est pas en colère contre ces scribes et ces pharisiens.
Elle n'a pas peur.
Elle n'est pas déçue.
Tout son être est tendu vers Jésus,
tout son être lui dit : « J'ai confiance en toi. »
Jésus a été dépouillé de tout, il a tout perdu,
il souffre horriblement,
mais il a cela : sa communion avec Marie.
Le Verbe est venu dans le monde dans la communion avec Marie et il quitte le monde dans la communion avec Marie.

Marie est toute en communion avec Jésus
et elle s'offre avec lui au Père.
Son cœur est blessé,
transpercé par un glaive,
– c'est la prophétie de Siméon qui s'accomplit –
et son cœur transpercé avec tout le corps et le cœur transpercés de Jésus est offert au Père.

À Jésus, il ne reste que sa Mère
il est en communion avec elle.
Pourtant, au dernier moment, comme s'il se dépouillait de ce dernier lien,
il la regarde et il dit : « Femme, voici ton fils. »
Puis il dit au disciple bien aimé : « Voici ta mère. »
J'imagine qu'à ce moment-là, Marie regarde Jean,
peut-être même esquisse-t-elle un geste vers lui,
elle ne regarde plus Jésus.
À ce moment-là, dès qu'il a donné Marie à Jean,
Jésus dit : « J'ai soif. »
Ce qui veut signifier, comme souvent dans la Bible : « Je suis dans l'angoisse. »
Et tout de suite après, il donne l'Esprit,
Il meurt.

Marie nous apprend ici quelque chose du mystère de la compassion
qui est une des réalités fondamentales de l'Arche.
C'est pourquoi Marie est au cœur de l'Arche.

C'est d'elle que nous devons apprendre à accompag
sonnes qui ne seront peut-être jamais guéries,
qui vivent et vivront avec de grandes angoisses
et de profondes blessures.

Pour vivre en communion avec des personnes angoissées
giles,
pour demeurer avec elles,
pour supporter les moqueries ou le dédain de ceux qui autour de nous trouvent que nous perdons notre temps,
que nous aurions bien mieux à faire,
que notre vie est bien petite et sans signification,
il faut vraiment que Marie soit au cœur de notre vie,
au cœur de nos communautés.
L'Arche est liée à la Croix et à la vie cachée,
au Golgotha et au Calvaire comme à Bethléem et à Nazareth.

Jésus souffrant nous fait entrevoir le grand mystère de la souffrance humaine.
Chacune de nos souffrances, chacune de nos blessures,
chacune de nos fragilités,
tout ce qui en nous est cassé,
toute notre peur d'être rejeté,
de ne pas avoir de place,
toute notre angoisse,
toute notre confusion,
toute notre difficulté à vivre
peuvent devenir source de vie quand nous les unissons
à la Croix de Jésus et à sa Résurrection.

Alors nous ne devons pas être en colère contre nos blessures, contre nos parents, contre la société, contre ceux qui nous ont fait du mal
mais nous pouvons découvrir avec Jésus
que toute cette souffrance n'est pas inutile,
qu'elle est comme un fumier qui améliore la terre et la fait fructifier,
que rien de tout cela n'est perdu mais que Jésus reprend tout,
l'accueille en lui,
le transforme pour en faire une puissance de vie.

Jésus vient nous faire découvrir la souffrance comme offrande.
Bien sûr, cela ne veut pas dire qu'il ne faille pas lutter pour soulager la souffrance.
Quand quelqu'un a mal aux dents, il ne faut pas d'abord lui prendre la main et lui dire: «je t'aime!»
Il faut d'abord lui trouver, et au plus vite, un bon dentiste;
quand quelqu'un souffre de troubles psychiques, il faut qu'il aille consulter au plus vite un psychiatre;
quand on a mal, il faut essayer de faire cesser le mal,
face à la souffrance, il faut une compassion qui est compétence.

Mais quand une maman vient de perdre son enfant,
quand une femme vient de perdre son mari,
quand un jeune homme vient d'apprendre qu'il ne marchera plus,
ce n'est plus de compétence qu'il s'agit
mais de compassion qui est présence.

Quand quelqu'un est en train de mourir,
que tout a été fait pour le sauver,
il faut quelqu'un près de lui pour ne pas le laisser seul et pour l'accompagner jusqu'à la porte du ciel.

À l'Arche, il faut que nous ayons ces deux formes de compassion;
il faut que nous sachions soigner et faire soigner ceux que nous accueillons, c'est la compassion-compétence.
Mais il faut que nous sachions aussi que tous les soins du monde,
toutes les compétences techniques
n'élimineront pas certaines douleurs,
ne guériront pas certaines angoisses,
ne cicatriseront pas certaines blessures
et il faut que nous apprenions à être là, dans la compassion, comme Marie.

Il faut que nous découvrions aussi avec elle
le mystère de notre propre souffrance
que nous pouvons offrir avec elle,
en union avec Jésus,
pour donner la vie au monde.

Sixième jour

« BIENHEUREUX LES DOUX... »

SAVOIR ATTENDRE DANS L'ESPÉRANCE

On descend le corps de Jésus de la Croix.
Marie le tient dans ses bras.
Ce corps repose sur elle une dernière fois,
avant les trois jours d'attente au tombeau.
J'aime beaucoup le samedi saint : c'est le jour de l'attente et de l'espérance ;
j'ai souvent l'impression alors que le monde entier attend.

C'est vrai que d'une certaine façon, sous bien des angles,
que nous le voulions ou non, sans même que nous sachions bien ce que nous attendons,
nous sommes tous dans l'attente.

Toute la vie est comme une attente.
Les jeunes filles et les jeunes gens attendent de rencontrer ceux qu'ils aimeront,
ils attendent leur vocation,
ils attendent de finir leurs études ou de trouver du travail.
Les gens mariés attendent des enfants,
les enfants attendent de grandir,
les gens âgés attendent la mort.
Tous nous attendons vaguement quelque chose.

Je rencontre aussi tant de gens qui vivent dans des situations intolérables,
où on ne sait plus quoi faire,

où on ne sait plus quoi attendre :
un changement ? un miracle ? une guérison ?
On ne sait plus.
On vit et on attend sans attendre.

Cet homme est prisonnier de l'alcool. Il a tout essayé pour s'en sortir, rien n'a réussi.
Cette personne qui a un handicap mental souffre d'angoisses affreuses. On a tout fait pour comprendre, pour l'aider, pour la soigner,
et rien ne change.
Ce mari et sa femme ne s'entendent plus. Tout est occasion de heurts. Ils ne savent plus quoi faire, rien ne change entre eux, rien ne bouge.
Et pourtant, tous continuent à attendre.
Il y a comme une force toujours en nous qui attend.

Ici encore, Marie est un modèle.
Elle attend, elle ne sait pas ce qu'elle attend,
mais elle attend dans la paix.
Jésus a dit qu'il se « relèverait au bout de trois jours. »
Elle ne sait pas ce que cela veut dire.
Va-t-il se réveiller comme Lazare ou cela se passera-t-il autrement ?
Elle n'en sait rien.
Les apôtres, les disciples eux aussi attendent, mais tous différemment.
Ce n'est pas facile d'attendre !

Marie-Madeleine attend dans l'impatience. Le temps lui pèse.
Elle voudrait que le sabbat finisse,
elle voudrait courir au tombeau,
elle voudrait être près du corps de Jésus,
elle voudrait le voir ressuscité.
Et enfin, quand elle peut y aller, elle court
mais on sent qu'elle est malheureuse et inquiète.
Elle pleure, elle interpelle les anges,
elle est comme dominée par son angoisse.
Marie, la mère de Jésus, ne bouge pas,
ne court pas au tombeau,
car le tombeau est vide.

Tous vivent l'angoisse de l'attente et j'imagine qu'il y e
très peu pour la vivre paisiblement. C'est souven
moment-là qu'une communauté se déchire,
que ses membres se disputent,
qu'ils ne se supportent plus les uns les autres,
qu'ils sont agressifs et réagissent sans mesure.

Regardez les disciples d'Emmaüs.
Ils retournent dans leur village;
ils ne supportent sans doute plus les tensions à l'intérieur du groupe,
ils ne supportent plus d'attendre sans savoir ce qu'ils attendent.

Regardez la façon dont les apôtres accueillent la nouvelle de la Résurrection.
Il est dit dans l'Évangile qu'ils ne crurent pas les femmes. Elles vinrent en hâte leur dire qu'elles avaient vu des anges et que le Seigneur était ressuscité.
On imagine bien ce qu'ils ont pu penser: elles sont hystériques, elles disent n'importe quoi, elles sont égarées par la douleur...
Mais de Marie, on ne dit rien.
Elle attend dans la confiance et la certitude que Jésus se relèvera, comme il l'a dit.

C'est très difficile d'attendre dans l'épreuve.
Ou bien on est saisi par l'angoisse
et on essaye de forcer les événements,
on essaye de «faire des choses»,
on se jette dans une activité forcenée et sans but réel,
juste pour canaliser cette angoisse,
évacuer ces énergies folles qui nous submergent peu à peu.
Ou alors on brise tout, on s'échappe, on fuit:
on ne peut plus rester alors qu'il ne se passe rien et que rien ne change.

Dans l'épreuve, il faut apprendre à attendre,
souvent sans bouger,
dans une attitude de prière et d'offrande.

Il faut demander à Jésus cette grâce de savoir attendre,

sans toujours comprendre ce qui se passe,
et sans vouloir dicter notre volonté aux événements, aux choses ou aux gens.
C'est vrai, l'être humain à envie de comprendre, de savoir, d'aller de l'avant,
et c'est magnifique.
Mais quelquefois aussi
il faut accepter de ne pas comprendre tout de suite.

Quand Marie et Joseph retrouvent l'enfant Jésus dans le temple de Jérusalem,
après l'avoir cherché trois jours dans l'angoisse,
Jésus leur dit: «Pourquoi me cherchiez-vous?
Ne saviez-vous pas que je dois être aux affaires de mon Père?» (Lc 2, 49)
et l'Évangile ajoute que Joseph et Marie ne comprirent pas.

Il y a beaucoup de choses qu'on ne comprend pas
et, quelquefois,
il faut savoir attendre la lumière,
rester, ne pas bouger, veiller,
attendre l'heure de Dieu.

Quand on a fait tout ce qu'il fallait faire,
il faut savoir attendre.
Marie est celle qui nous apprend à attendre dans l'épreuve,
devant toutes les blessures et toutes les fragilités,
devant l'épreuve de nos propres blessures et de nos fragilités,
attendre dans la confiance et dans la certitude que la Résurrection viendra.

Car c'est bien cela notre attente la plus profonde:
que nous ressuscitions.
Sans doute au dernier jour et à la fin des temps,
mais d'abord tout de suite,
que nous soyons arrachés à notre prison de peur, d'incapacité et de tristesse,
que nous soyons libérés du tombeau de notre solitude et de notre égoïsme,
que nous vivions en plénitude.

La Résurrection est l'événement cosmique le plus extraordinaire de tous les temps.
Et c'est aussi un événement tout petit et tout humble.
Je voudrais que nous regardions ensemble l'humilité de la Résurrection,
pour que nous comprenions l'humilité de notre propre résurrection.

Nous avons tous tendance à rêver de grands événements,
nous aimons ce qui est spectaculaire.
Et nous avons du mal à découvrir l'humilité du passage de Dieu dans nos propres vies,
car Il passe toujours si humblement, si simplement,
comme «une brise légère»,
et toujours dans un mystère de foi.

Quand Jésus ressuscite,
il n'apparaît pas au-dessus du temple de Jérusalem, devant la foule des grands jours,
dans l'éclat de la foudre et du son des trompettes,
il apparaît tout simplement à quelques-uns
qui hésitent même à le reconnaître.

Voyez comme la rencontre de Jésus et des disciples d'Emmaüs, dans l'Évangile de Luc, est simple;
Il chemine avec eux et ce n'est que peu à peu,
à des signes très simples,
qu'ils le reconnaissent et comprennent qu'il est ressuscité.

Voyez la première apparition de Jésus aux apôtres (Lc 24, 36-43).
En toute hâte et en grande joie, les disciples d'Emmaüs sont retournés à Jérusalem et racontent aux apôtres ce qui s'est passé sur le chemin.
«Ils parlaient encore, quand il se tint en personne au milieu d'eux et leur dit: "Paix à vous!" Saisis de stupeur et d'effroi, ils s'imaginaient voir un esprit.»
La première réaction des apôtres est la peur,
ils croient voir un fantôme,
et pourtant ils savent que Jésus est ressuscité.

Les femmes le leur ont dit. Pierre a vu le tombeau vide, les disciples d'Emmaüs viennent d'en parler.
Pourtant leur première réaction est de ne pas y croire.
«Mais il leur dit: "Pourquoi tout ce trouble et pourquoi des doutes s'élèvent-ils dans vos cœurs? Voyez mes mains et mes pieds, c'est bien moi! Touchez-moi et rendez-vous compte qu'un esprit n'a ni chair ni os comme vous voyez que j'en ai." Ce disant; il leur montra ses mains et ses pieds.»

Et écoutez bien cette phrase: «Et, comme dans leur joie ils ne croyaient pas encore...»
C'est une phrase extraordinaire qui montre bien l'humilité de la Résurrection.
Il n'y pas d'éclairs ni d'illuminations intérieures ni d'éblouissement brutal
ni de certitude immédiate, absolue et totale.
C'est tout simple,
si simple que les disciples n'osent pas y croire,
si simple qu'on peut se «refuser» à y croire.

Alors, Jésus insiste:
«Avez-vous quelque chose à manger?» Je ne pense pas qu'il ait faim, mais il veut leur montrer que c'est vraiment Lui, qu'il est vivant: «Ils lui présentèrent un morceau de poisson grillé. Il le prit et le mangea sous leurs yeux.»

Est-ce que ce n'est pas étonnant une scène si humble?
Jésus n'apparaît pas comme un triomphateur,
mais dans une grande petitesse, une grande humilité.
Il essaie de convaincre les disciples:
«Regardez, je suis là, c'est bien moi, touchez-moi, donnez-moi à manger.»
Ce mystère si grand de la Résurrection
est en même temps si petit.

Il faut que nous comprenions dans cette lumière notre propre résurrection.
Car nous sommes des ressuscités, ce que nous attendons est déjà advenu,
et notre résurrection, ce don de l'Esprit Saint par Jésus,

est une merveille
mais aussi une chose toute petite, toute humble,
qui ne nous transforme pas d'un seul coup,
qui ne nous change pas brutalement.
C'est comme une toute petite semence dans la terre vulnérable et labourée de notre être.

Nous sommes un peuple cassé, un peuple blessé, un peuple tordu,
avec des réactions si vives de rejet, de peur, d'angoisse,
avec une telle vulnérabilité et une telle peur de souffrir que nous ne cessons de nous protéger, de créer des barrières, de nous défendre,
mais si nous acceptons de laisser entrer l'Esprit Saint
dans notre fragilité et notre faiblesse,
il y sera comme une toute petite semence,
qui peu à peu grandira
et se transformera.

ENTRER DANS LA CONFIANCE

Nous rêvons tous de conversion spectaculaire comme celle de saint Paul,
une brusque illumination qui changerait tout,
mais même pour saint Paul nous ne savons pas ce qu'il a fallu de temps avant que cette conversion ait lieu pleinement,
nous ne savons pas comment elle a été préparée ni ce qui l'a suivie.

Nous sommes tellement impatients que nous ne supportons pas qu'après "nos conversions", nous ne soyons pas « parfaits ».
C'est vrai, il peut y avoir des moments où le changement devient perceptible,
où nous avons l'impression d'ouvrir les yeux ou de nous retourner d'un coup vers la lumière – c'est ce que veut dire le mot conversion, se retourner –
des moments où nous avons l'intuition d'avoir enfin trouvé le chemin.
Mais nous ne supportons pas alors que tout ne soit pas changé en nous,
qu'il reste des ténèbres en nous-mêmes,
des zones d'ombre,
des fragilités, des colères ou des blessures.

Nous rêvons de « tout ou rien »,
de changements radicaux et définitifs,

et nous oublions que nous ne sommes pas des êtres de mutation mais des êtres de croissance.

L'être humain met neuf mois à se former dans le ventre de sa mère.
Et il y a ce moment extraordinaire de la naissance où il est devenu assez grand pour sortir
mais c'est pour une autre croissance qui va mettre des années et des années,
où on peut bien sûr repérer des étapes :
le premier sourire, les premiers pas, les premières paroles... mais c'est en fait une croissance lente et continue vers la maturité,
avant que ne commence la phase de décroissance qui est, elle aussi, une période de maturation encore plus profonde.

Chez l'être humain, la croissance par la décroissance des facultés physiques ou intellectuelles
est aussi importante que la croissance par l'acquisition.
C'est un grand mystère que nous soyons appelés à être tous un jour des petits,
l'expérience de la richesse, de la force, de la puissance peut durer quelques années mais nous sommes tous orientés vers la pauvreté et la petitesse.

Je me souviens du Père Arrupe qui a été général des jésuites.
C'était un homme brillant, d'une très grand intelligence et qui avait une vision du monde et de l'Église étonnante. Un homme joyeux et plein de vie qui, quelquefois, chantait à voix forte des chants basques quand on venait le voir.
C'est pour moi l'un des grands hommes de ce siècle.
La dernière fois que je l'ai vu,
il avait eu une hémorragie cérébrale et il ne pouvait plus parler.
Il ne pouvait plus lire et je lui ai donné un livre pour enfant, *Je rencontre Jésus,* pour qu'il puisse regarder les images.
Il a vécu encore dix ans comme un petit enfant, incontinent, nourri à la cuillère, incapable de quoi que ce soit.

Nous sommes tous orientés vers cela. Nous ne passerons peut-être pas dix ans comme lui dans cette pauvreté et cette dépendance,
mais nous vieillirons tous.
Nous deviendrons tous plus faibles, plus fragiles, plus petits
et il nous faudra alors accueillir cette pauvreté.

C'est un grand mystère que la croissance dans la décroissance.
Je l'ai vécu avec maman qui est morte quelques jours avant ses quatre-vingt-treize ans.
Dans son grand âge, alors qu'elle devenait aveugle, elle continuait à grandir dans la petitesse,
dans l'accueil du réel.
Car c'est cela la maturation, c'est cela la croissance, accueillir progressivement le réel et ne plus se réfugier dans l'illusion.

Une maman dont le petit garçon est mort à cinq ans m'a dit quelque chose de très beau qui éclaire bien ce mystère de la maturation.
Son petit garçon avait eu à trois ans une maladie qui avait paralysé ses jambes,
puis le mal a progressé.
A cinq ans, il était aveugle et complètement paralysé.
Quelques semaines avant sa mort, sa maman était à côté de lui
et pleurait.
Le petit lui a dit alors: «Ne pleure pas, maman, j'ai encore un cœur pour aimer ma maman.»
Il avait tout perdu, mais il avait atteint la maturité.

La maturité, c'est l'accueil plénier du réel, l'acceptation du présent.
C'est rendre grâce pour ce que l'on a
et ne plus pleurer pour ce qu'on n'a pas.
C'est très rare d'arriver à cela,
d'arriver à ne plus vivre dans l'idéalisme qui refuse de voir les choses et les êtres comme ils sont,
mais de s'accepter et d'accepter les autres, tels qu'ils sont,
en voyant la lumière qui est en eux
et en ayant la certitude que nous pouvons tous grandir.

Nous sommes tous plus ou moins en lutte avec le réel,
avec ce que nous vivons ou ce que nous avons vécu,
avec nous-mêmes ou avec les autres.
Nous nous épuisons dans la colère parce que nous ne voulons pas accepter la réalité telle qu'elle est. Alors, nous vivons dans le passé ou nous nous projetons dans l'avenir,
mais nous ne vivons pas réellement dans le présent.

Vous connaissez cette histoire, ce pourrait être celle de beaucoup de gens.
C'est un jeune garçon à l'école qui dit tout le temps : « Ah ! quand j'aurai quitté l'école et que je travaillerai, je serai heureux. »
Il quitte l'école, se met à travailler et dit sans cesse : « Ah ! quand je me marierai, ce sera le bonheur. »
Il se marie et au bout de quelques mois, il constate que la vie manque de variété et il se dit : « Ah ! que ce sera bien quand on aura des enfants. »
Les enfants viennent, et c'est charmant, mais ils pleurent vraiment souvent à deux heures du matin et le jeune homme soupire : « Vivement qu'ils soient grands ! »
Et les enfants grandissent, ne pleurent plus à deux heures du matin, mais font mille et une bêtises et les vrais problèmes commencent. Et lui rêve au moment où il sera seul avec sa femme : « Ce sera si bien ! »
Et quand il est enfin vieux, il se souvient avec nostalgie du temps passé :
« C'était si bien ! »

Nous avons tous du mal à vivre le moment présent
à nous réjouir de la présence de Dieu ici et maintenant.

Et pourtant, c'est cela l'Incarnation,
cette révélation que Dieu est caché dans le réel, dans la matière même du monde,
qu'il n'est pas hors de portée,
que nous n'avons plus besoin de le chercher ailleurs, bien loin dans le ciel ou les étoiles,
bien loin dans l'avenir,
mais qu'il est là tout près de nous et jusque dans nos blessures.

Dieu est présent, dans un éternel présent.

Toute l'histoire de chacun de nous est celle de notre croissance progressive dans l'accueil et l'acceptation du réel,
dans l'accueil et l'acceptation de notre histoire,
de la vérité de notre être,
de la vérité des autres.
C'est un très long chemin.

Très souvent, dans la décroissance, il y a chez le vieillard des puissances qui lui permettent de mieux s'accepter lui-même
mais ce n'est pas toujours ainsi.
Il y a des vieillards aigris, désespérés, en colère contre ce qu'ils vivent, en colère contre eux-mêmes et contre leur histoire,
et aussi contre la fin de cette histoire.

Embrasser le réel,
entrer dans une véritable alliance avec le réel,
entrer dans une véritable alliance avec sa propre pauvreté,
avec les autres,
avec Jésus et le Père dans l'Esprit Saint,
oui, c'est un long chemin.

Nous sommes comme des arbres qui poussent très lentement.
Il y a en Amazonie un arbre très peu connu et très beau, le bakouri.
Le bakouri met quarante ans à donner son premier fruit.
Quelquefois, nous sommes comme des bakouris :
nous attendons les fruits pendant trente-cinq ans et nous ne voyons rien venir !
Pourtant la résurrection est là,
et les fruits se préparent en secret.
Il faut savoir attendre.
Il y a notre temps et le temps de Dieu,
et Dieu sait nous attendre.

Le mystère chrétien est d'une très grande humilité,
l'humilité de Dieu.
Il y a un curieux partenariat entre chacun de nous et Jésus,
nous marchons réellement ensemble,

c'est ensemble que nous marquons le rythme.

Jésus nous donne la grâce
mais c'est à nous d'avancer,
à nous de nourrir notre alliance. Dieu ne nous oblige pas, ne nous manipule pas, n'essaye pas de nous forcer ni de nous influencer.
Je suis toujours très touché de cette humilité de Dieu envers chacun de nous,
de son extraordinaire délicatesse,
de son grand respect de ce que nous sommes.

Quand Jésus appelle le jeune homme riche, il lui dit: « Une seule chose te manque: vends tout ce que tu as, donne l'argent aux pauvres et suis-moi. »
Le jeune homme ne peut pas.
Jésus n'insiste pas.
Il ne court pas après lui pour le séduire ou le convaincre ou lui promettre autre chose que la vérité,
je ne sais quelle gloire ou quelle richesse… qui l'aurait peut-être attiré. Il n'use d'aucun moyens de manipulation,
il ne fait aucune publicité,
il est beaucoup trop respectueux de notre liberté,
beaucoup trop aimant,
c'est cela aussi sa pauvreté.

Dieu dit: « Si tu veux… suis-moi. Mais je ne t'oblige pas,
je ne te promets pas la réussite sur la terre,
mais le ciel, qui est d'être toujours avec toi.
Si tu veux, marchons ensemble, je ne te quitterai pas. »
C'est vrai, il ne nous quittera pas même si nous nous détournons de Lui.
Quand Jésus a appelé quelqu'un, même s'il fait de grosses bêtises,
Jésus ne le quittera pas, ne le critiquera pas,
il attendra qu'il change,
il attendra son retour.

Nous, nous avons tendance à utiliser les gens et s'ils ne répondent pas à notre attente, nous les renvoyons.

Jésus ne renvoie personne, ne se détourne de personne.
Il attend dans l'amour.
Ce qu'il veut, c'est que nous grandissions dans la liberté intérieure,
que nous parvenions librement à aimer,
et ce peut être très long,
un long chemin de croissance.
C'est l'humilité de la résurrection, l'humilité de notre croissance dans l'Esprit Saint.

C'est aussi l'humilité et la pauvreté de l'Arche.
Nous attendons des assistants,
ils viennent ou ne viennent pas.
C'est aussi l'humilité et la pauvreté de Luisito ou de Claudia.
Eux, ils sont toujours là,
souvent, ils demandent aux assistants de rester,
mais ils ne jugent ni ne condamnent celui qui s'en va.
À l'Arche, en particulier, nous sommes appelés à être des hommes et des femmes de patience,
à grandir dans cette patience de Jésus qui est aussi la certitude qu'il est là.

Jésus nous demande de nous occuper de nous-mêmes,
d'essayer d'être en forme humainement et spirituellement,
de prendre le repos nécessaire, de manger comme il faut, de nous distraire,
de nous reposer sur lui de tout ce qui nous accable,
de nous re-poser en lui,
de nous nourrir spirituellement
sans espérer que nous aurons de grandes illuminations
mais en sachant que, silencieusement, doucement,
nous grandirons peu à peu.

Si nous écoutons la parole de Dieu,
si nous prenons au sérieux ses promesses,
si nous nous nourrissons des sacrements de l'Église,
si nous nous laissons conduire par un prêtre ou un ancien,
si nous nous laissons nourrir par le cœur du pauvre,
le sacrement du pauvre,
alors,

dans l'humilité, imperceptiblement, secrètement,
nous grandirons peu à peu,
nous comprendrons ce que nous ne comprenions pas,
nous deviendrons plus paisible et plus aimant.

Dieu conduit si doucement, si lentement,
il n'a rien à prouver, rien à défendre,
il est l'Amour et Don total de lui-même et tout ce qu'il veut,
c'est se donner à nous dans cette alliance,
nous faire entrer dans cette alliance qui fera de nous des vivants.

Il faut que nous devenions des amis du temps,
il faut que nous acceptions que les choses prennent du temps,
que nous soyons des hommes et des femmes qui sachent attendre,
parce qu'ils savent que l'Eternel – qui est en dehors du temps –, est déjà présent
et qu'il s'agit de vivre avec lui, aujourd'hui, maintenant.

S'OUVRIR À LA TENDRESSE

Hélène, de la communauté de Punla aux Philippines est morte, il y a quelques mois.
Elle avait quinze ans quand elle est arrivée dans la communauté.
Elle avait vécu à l'hôpital depuis sa naissance et elle était toute petite.

Elle était aveugle, incapable de marcher, de parler, de faire quoi que ce soit avec ses mains ;
un pauvre petit corps très blessé et fragile.

C'est Kéiko, une jeune japonaise, qui s'occupait d'elle. Et quand je suis allé à Manille, cette année-là, Kéiko m'a dit combien il était difficile de vivre avec Hélène.
Hélène n'avait aucune réaction.
Elle était complètement amorphe, ne réagissant à rien, ne réclamant rien, juste capable de téter le biberon qu'on lui mettait dans la bouche.
C'était très dur de ne pas savoir du tout ce qu'elle pouvait ressentir et de n'avoir aucune communication avec elle.

J'ai encouragé Kéiko à continuer à lui parler avec beaucoup de douceur,
à la toucher avec beaucoup de tendresse,
à la tenir avec beaucoup d'amour.
Et je lui ai dit : « Si Dieu le veut, un jour, elle sourira. Et ce jour-là, Kéiko, tu m'enverras une carte postale. »

Quelques mois plus tard, j'ai reçu une petite carte de Manille : « Hélène a souri aujourd'hui », écrivait Kéiko.
Hélène avait repris vie : quelque chose d'emmuré en elle, au fond d'elle, s'était libéré, une petite source avait jailli,
elle avait repris confiance.

Vous savez, nous sommes des êtres de communion
et quand la communion n'est pas possible, nous nous fermons sur nous-mêmes, devenant incapables de communiquer, d'agir, d'entrer dans cette circulation vitale du monde et des êtres ;
c'est comme si nous n'étions plus irrigués.
L'enfant qui est abandonné, laissé à lui-même à sa naissance, s'enferme dans un monde de tristesse et de dépression
et devient incapable de réagir.

J'ai eu un choc, en Roumanie, il y a quelque temps.
J'étais dans un hôpital où se trouvaient à peu près trois cents enfants qui ont un handicap au soin d'une seule infirmière que quelques bonnes personnes du village venaient aider.

Quand je vais dans un hôpital où il y a des petits enfants qui ont un handicap, souvent je prends un de ces petits dans mes bras
et je le serre sur mon cœur pour qu'il sente la chaleur et les vibrations de mon corps. C'est étonnant de voir alors comment en quelques secondes le visage de l'enfant se transforme.

Quand il est seul dans son lit,
il est comme dans un autre monde, ailleurs, très loin,
mais quand il a son corps sur un autre corps, qu'on lui parle doucement à l'oreille,
il se met à tressaillir de joie,
il est comme enivré par la présence, illuminé par le contact.
Et quand on le remet sur son lit, c'est comme un voile qui recouvre son visage et c'est très difficile de le reposer.

Mais là, dans cet hôpital, l'enfant que j'ai touché s'est rejeté en arrière, comme s'il avait eu un choc électrique.
J'ai cru lui avoir fait mal, l'avoir mal pris ou avoir touché une plaie

et je l'ai repris avec douceur,
et de nouveau, il a sursauté et s'est rejeté en arrière.
Il avait tellement peur, il était tellement emmuré dans son désespoir, tellement loin des autres que le moindre contact lui faisait mal.

Tout ce que l'enfant peut vivre, c'est la communion, ce va-et-vient de l'amour où l'on donne et où l'on reçoit.
Quelquefois, j'entends les psychologues dire que l'enfant n'aime pas,
que l'amour est quelque chose qui se développe, quelque chose qui est de l'ordre du don et de l'altruisme.
C'est vrai qu'il y a dans l'amour cette dimension oblative qu'il faut sans doute peu à peu acquérir,
mais c'est faux de dire que l'enfant n'aime pas.

L'enfant n'est qu'amour au contraire. Mais il vit une forme d'amour que nous, nous avons perdue et dont nous avons très peur : l'amour de confiance.
Il y a un amour de générosité dont sans doute le petit enfant n'est pas capable. Un bébé n'est pas généreux ! Mais il est extraordinairement confiant et la confiance est déjà un don de soi.
Nous, nous avons peut-être grandi en générosité, mais nous avons perdu la confiance : la confiance en Dieu, la confiance dans les autres. Nous avons tellement peur d'être trompés, manipulés, trahis,
de mal placer notre confiance,
que nous avons développé tout un système de défense à l'abri duquel nous essayons de prouver notre indépendance, notre autonomie.

L'enfant, lui, ne peut pas être autonome. Il est si petit quand il naît qu'il ne peut rien par lui-même, même pas tirer les couvertures sur lui s'il a froid la nuit !
Il est dépendant pour tout et ne peut que crier.
Mais ce qui est extraordinaire, c'est que son cri est aussi un signe de confiance : « J'ai confiance en toi,
je sais que tu m'aimes,
je sais que tu veux mon bien, que tu veux que je sois heureux.
Je sais que tu répondras à mon cri », dit-il.

Et la maman répond au cri de l'enfant, interprète son cri : « Il a faim, il a soif, il est malheureux ou il a peur du noir... » J'aime beaucoup entendre une maman interpréter le cri de son bébé,
le comprendre, parce qu'elle l'aime et le connaît.

Et nous, à l'Arche, il faut que nous sachions aussi interpréter le cri des personnes qui ne peuvent pas parler.
Elles n'ont pas le langage mais elles nous parlent par leur visage, leurs gestes, leurs mimiques, leur violence parfois,
et il nous faut interpréter, comprendre ce qu'elles demandent
ou ce qu'elles refusent,
entendre leur souffrance.

Il faut comprendre le cri de l'enfant et respecter ce qu'il nous dit de lui.
C'est la même chose avec les adolescents ;
bien sûr ils parlent
mais quelquefois ils n'ont pas les mots pour dire ce qui compte vraiment,
alors ils s'expriment autrement,
par des gestes, des manifestations, des attitudes qu'il faut savoir interpréter.
C'est un peu vrai de chacun de nous. Quelquefois, on ne sait pas dire ce qui nous blesse ou nous angoisse vraiment,
alors il faut quelqu'un qui comprenne notre cri.

L'enfant a besoin d'être aimé,
de cet amour qui lui révèle qu'il est beau,
qu'on est heureux d'être avec lui, heureux qu'il existe,
heureux de s'occuper de lui, de le toucher, de le baigner,
de l'embrasser ou de jouer avec lui.
Il le sent à travers la façon dont on le touche,
dont on lui parle, car ne comptent pas seulement les paroles, mais aussi, et plus, le ton de la voix.
Quand l'enfant est trop petit pour comprendre les paroles,
il comprend pourtant très bien le ton de la voix.

De même un prêtre peut dire de très belle choses dans son homélie,
mais c'est le ton de sa voix qui révèlera s'il a la foi ou non,

s'il croit ou non, s'il aime vraiment Jésus.
La façon dont on dit le nom de Jésus révèle notre amour ou notre manque d'amour et la qualité de notre relation avec lui.
Et c'est affreux quand on sent un décalage entre ce qui est dit et ce qu'on exprime de fait.

L'enfant se sait aimé si on sait interpréter son cri.
Je me souviens avoir vu, dans un hôpital au Canada, des infirmières changer les couches d'enfants ayant un handicap.
Il y avait un grand poste de télévision au milieu de la salle,
il était dix heures du matin,
et elles changeaient les enfants en regardant la télévision.
Je ne sais pas si vous avez déjà essayé de parler à quelqu'un qui regarde la télévision !

Nous ne connaissons pas l'histoire d'Hélène, nous ne savons pas exactement qui l'a blessée,
mais nous savons qu'elle a été terriblement blessée.
Qu'elle a dû appeler et appeler pour avoir de l'amour, de la tendresse, pour qu'on s'occupe d'elle avec douceur,
pour qu'on lui fasse sentir qu'elle était importante,
qu'elle comptait pour quelqu'un.

Et si personne n'a répondu – et personne n'a dû répondre –
un jour, elle a cessé d'appeler,
elle s'est refermée en elle-même,
elle s'est retirée autant qu'elle l'a pu du monde.

Chacun de nous fait cela :
quand la relation avec les autres nous blesse,
quand personne ne nous donne cette communion que nous désirons,
nous nous retirons en nous-mêmes,
nous nous enfermons dans nos rêves.
Mais ce qui est un peu différent d'Hélène, c'est que nous pouvons continuer à faire des choses, à travailler, à sortir, à nettoyer la maison.

Comment Hélène sortira-t-elle de sa prison de peur et de désespoir ?

Comment s'ouvrira-t-elle de nouveau à la communication ?
En rencontrant quelqu'un en qui elle puisse avoir confiance,
quelqu'un qui ne la jugera pas ni ne la condamnera.
Parce que si Hélène s'ouvre un peu et qu'ensuite on la juge ou la condamne, si on la trouve « mauvaise »,
elle se refermera définitivement.

Un jour, je parlai de la situation d'Hélène à des jeunes d'une quinzaine d'années et je leur ai demandé :
« Si vous, vous étiez blessés et que vous vous fermiez et que, de plus, vous vous sentiez coupables, auriez-vous quelqu'un vers qui vous pourriez aller ? À qui vous pourriez parler ?
Connaissez-vous quelqu'un en qui vous ayez suffisamment confiance pour savoir qu'il ne vous jugera ni ne vous condamnera jamais ? »
Je ne leur ai pas demandé de répondre,
mais j'ai vu sur leur visage que beaucoup n'avaient personne.

Comment toucher Hélène pour la rassurer,
pour qu'elle ne se sente pas jugée ?
Hélène crie pour la communion et le non-jugement mais son cri est enfermé en elle.
Elle est comme une pierre et ne réagit à rien.

Kéiko disait que c'était très dur de vivre avec Hélène,
que son absence totale de réaction la renvoyait souvent à sa propre peur, à sa propre colère.
Quand Kéiko était fatiguée, elle sentait monter en elle des puissances d'agression ou de dépression qui lui faisaient perdre patience.
« Pourquoi ne réponds-tu pas ? Pourquoi ne réagis-tu pas ?
Je te lave, je t'habille, je te nourris, je te porte et te promène doucement,
pourquoi tout cela n'a-t-il pas l'air d'exister pour toi ?
Quel sens cela a-t-il que je passe ma vie avec toi ? Je n'en peux plus… tant pis pour toi. Est-ce que je peux continuer à perdre mon temps avec toi ? »

Quand l'autre n'est pas comme nous voudrions qu'il soit,
nous nous angoissons très vite,

nous nous mettons en colère,
et nous entrons dans un type de relation où se mêle la dépression et l'agression, même si nous savons les cacher sous un masque de politesse.

Il y a des silences pleins de tendresse
et des silences pleins de haine.
On peut être très déprimé et ne pas cesser de sourire. On dit souvent que les clowns qui font rire tout le monde
sont, à l'intérieur d'eux-mêmes, pleins d'une grande tristesse.

Pour vivre, une Hélène a besoin d'énormément de tendresse,
elle a besoin de sentir qu'elle est en communion avec d'autres.
Et si elle reçoit cette communion, elle laissera tomber ses barrières de défense, elle s'ouvrira peu à peu.
Et, un jour, elle sourira.

L'histoire d'Hélène dans la communauté a été très courte.
C'est Jing qui, un jour, l'a résumée ainsi: «Hélène est venue, elle a souri, elle a été baptisée et puis, elle est morte.»
Sa mort a été très douloureuse: elle a eu une crise d'épilepsie, elle n'a pu retrouver sa respiration et s'est étouffée.
Maintenant, elle est l'ange gardien de la communauté, celle qui dans le cœur de Jésus veille sur la communauté. C'est mystérieux qu'elle soit restée si peu de temps avec nous, à peine une année.
Peut-être n'est-elle venue que pour sourire
et nous apprendre le secret de la communion.

Hélène ne vivait que de communion.
Elle avait eu le temps de la retrouver et de nous apprendre combien nous aussi nous en avons peur,
combien nous aussi nous avons de défenses; peut-être pas l'immobilité comme elle – souvent nous préférons l'hyperactivité – mais l'hyperactivité est tout aussi efficace pour nous enfermer et nous cacher des autres.

Pour s'approcher d'une Hélène, il faut que nous aussi nous nous ouvrions, que nous cessions de vouloir faire des choses,
que nous soyons prêts nous aussi à vivre de la communion

que nous n'ayons plus peur de notre propre douceur et de notre propre tendresse.
Hélène avait besoin que nous découvrions notre propre tendresse et notre douceur.

Elle a vécu profondément la première béatitude – elle était si pauvre – et elle avait énormément besoin de la seconde : « Heureux les doux... »

Pour s'approcher d'une Hélène, il faut beaucoup de douceur ;
pour la toucher sans la blesser, il faut une immense tendresse
et si, à l'intérieur de nous, il y a de la violence, nous ne pourrons pas la toucher.
Plus quelqu'un est blessé,
plus il faut de douceur.
Pour laver le corps de quelqu'un qui va mourir,
il faut une extrême douceur.
Hélène nous a appris la seconde béatitude.

Conclusion

CELUI QUI RÉPOND AU CRI

Le mystère de l'Arche, comme celui de Foi et Lumière,
le mystère des relations humaines,
c'est le mystère d'Hélène et de Kéiko.
C'est le mystère de l'alliance entre les personnes.
Prendre conscience de l'alliance que Dieu a nouée entre nous,
vouloir cette alliance,
c'est avancer sur le chemin des béatitudes.
C'est comprendre l'autre, aimer l'autre,
et entrer dans le mystère de l'autre.

Il est vrai que nous tombons très vite,
que très vite nous nous lassons,
que très vite nous sommes pris dans un cercle de dépression-agression et de colère dont nous ne savons sortir.
Nous pouvons même être en colère contre nous-même parce que nous ne sommes pas capables d'être doux et d'accepter Hélène comme elle est !

Il faut que nous apprenions aussi à être doux avec nous-même.
Il faut que nous ayons autant de douceur avec nous qu'avec Hélène.
Nous aussi nous sommes blessés.
Nous crions notre douleur, notre déception, notre incapacité, notre agressivité.
et nous pouvons crier dans le vide,
mais nous pouvons aussi crier vers Dieu.

Dieu est le Paraclet.

C'est un mot que nous ne comprenons pas bien. Il est difficile à traduire et souvent nous ne le traduisons pas ou nous traduisons par avocat, défenseur, consolateur ... mais aucun de ces termes ne correspond vraiment au sens exact.

Paracleitos vient de deux mots grecs, *para*, "auprès de", et *kaleo*, "appeler".

Le verbe *para-kaleo* veut dire appeler auprès de soi, appeler à son secours.

Le *paracleitos*, c'est celui qui répond à l'appel.

Une maman est un paraclet pour son enfant.

Kéiko était un paraclet pour Hélène.

Et Dieu est notre paraclet,

Celui qui répond à notre cri, qui sait l'interpréter, qui peut nous arracher à notre prison, à notre propre système de défenses,

Celui qui est assez doux et assez tendre pour que nous puissions nous ouvrir.

Dieu est Celui qui répond au cri.

Quand il parle la première fois du *paracleitos*, Jésus dit :

« Je prierai le Père et il vous donnera un autre Paraclet, pour être avec vous à jamais » (Jn 14, 16). Et il ajoute : « Je ne vous laisserai pas orphelins », je vous enverrai une maman, un papa, vous ne serez pas orphelins.

Vous le savez, le prototype du cri, celui de l'enfant et du mourant,
c'est toujours le même : « Maman ! »

On dit que les hommes qui meurent sur les champs de bataille crient : « Maman ! »

L'appel fondamental est un appel à la tendresse de la mère,
à la délicatesse et à la douceur de la mère.

Elle seule peut relever le petit corps fragile ou le corps blessé, le porter, le soigner, répondre à ses larmes, le tenir pour que l'enfant ou le mourant, celui qui est sans défense et celui dont tout le système de défenses est cassé, sache, à travers son corps, qu'il est aimé.

Le nom de Dieu, c'est cela.

On ne se rend pas bien compte de l'immense douceur, de l'immense délicatesse de l'Esprit Saint qui ne nous juge ni ne nous condamne, mais qui connaît le monde de blessures et de défenses en nous.

Dieu répond à notre cri pour la communion
et nous aide aussi à vivre la communion avec les autres.
Sans lui, nous ne le pouvons pas.
Nous avons trop peur d'être blessés une fois encore
et ce que nous désirons le plus au monde nous fait en même temps affreusement peur.

Pour que Kéiko et Hélène s'ouvrent l'une à l'autre,
pour qu'elles puissent vivre en communion l'une avec l'autre,
il faut que ce soit l'Esprit Saint qui les unisse.

Être généreux, c'est simple.
C'est assez facile d'envoyer un chèque, d'aller chez quelqu'un, d'apporter des cadeaux, puis de partir.
C'est toujours plus facile de faire des choses,
mais c'est difficile d'être vulnérable et d'entrer en communion.

Alors aujourd'hui, alors que cette retraite se termine,
nous pouvons peut-être nous préparer à reconnaître notre alliance,
à nous réjouir parce que nos maisons, nos Arches, sont ou peuvent être des lieux de communion et de célébration,
des lieux de fête où nous chantons parce que Dieu nous a liés ensemble.
C'est important de chanter son alliance.

Le Jeudi Saint, à Trosly, après la messe, nous nous lavons les pieds les uns les autres et puis à table, en mangeant l'agneau pascal, nous nous souvenon :
« Où étais-tu, il y a dix ans ? » « À l'hôpital psychiatrique… » « Et toi ? » « J'étais ici ou là, je me sentais seul et dans l'angoisse. Et maintenant, nous sommes ensemble une seule famille, unie par Dieu. »
Et c'est une merveille, un miracle.

Nous avons fait le passage de la solitude – l'asile de San Felipe pour Claudia, une petite cabane pour Luisito – à la communauté.
Nous avons tous fait le passage de la Mer rouge, de l'esclavage de la peur à la terre promise de la communion.
Ainsi le Jeudi Saint, nous racontons puis nous célébrons la joie de l'alliance,
nous nous souvenons du chemin parcouru
et nous rendons grâce parce que nous étions seuls, «pas un peuple», «mal aimés», et que maintenant nous sommes ensemble, des frères et des sœurs, un peuple aimé qui marche avec Dieu.

C'est bon que dans les familles, dans les maisons, nous puissions célébrer l'alliance,
rendre grâce simplement pour le fait d'être ensemble,
se réjouir que Dieu nous ait unis,
nous ait confiés les uns aux autres,
chacun à sa place
avec au cœur de tout, celui qui est à la source de tout, celui qui appelle notre tendresse,
qui nous appelle à entrer dans les béatitudes,
le plus petit, le plus pauvre.

Dans un monde blessé, nos familles, nos maisons, nos communautés, nos Arches,
peuvent devenir de toutes petites oasis.
Des lieux humbles et petits,
solidaires des pauvres et des souffrants,
où nous ne faisons pas de grandes choses, mais où nous nous efforçons de vivre cette alliance que Dieu a mise entre nous.
Non pas des lieux à part, mais des lieux ouverts,
en communion avec les autres, les voisins, les gens du quartiers, mais aussi avec ceux qui sont loin. Nous faisons tous partie du même corps, chacun à sa place, et c'est le même souffle qui nous anime.

Dans Isaïe, Dieu dit:
«Ne savez-vous pas quel est le jeûne qui me plaît?»
Non pas les grandes manifestations extérieures, mais

«Rompre les chaînes injustes,
délier les liens du joug,
renvoyer libres les opprimés,
briser tous les jougs;
partager ton pain avec l'affamé,
héberger les pauvres sans abris – les Luisito, les Claudia, les malheureux –
vêtir celui que tu vois nu
et ne pas te dérober devant celui qui est ta propre chair – ton frère, ta sœur.

Alors ta lumière poindra comme l'aurore,
ta blessure sera vite cicatrisée.
Ta justice marchera devant toi et la gloire de Yahvé derrière toi.
Alors si tu cries, Yahvé répondra,
à tes appels, il dira: "Me voici". Mais tu ne crieras, tu n'appelleras que si tu touches ta propre pauvreté, ta propre insécurité.

«Si tu exclus de chez toi le joug,
le geste menaçant et les paroles méchantes – l'agressivité –,
si tu donnes ton pain à l'affamé,
si tu rassasies l'opprimé,
ta lumière se lèvera dans les ténèbres
et tes ombres deviendront plein midi.

Yahvé te guidera constamment,
dans les déserts, il te rassasiera
– tu te plains de n'avoir pas assez de nourriture spirituelle –
Il te rendra vigueur
– tu auras la santé et l'énergie qu'il faut pour ce que tu as à vivre –
et, – souvenez-vous de la Samaritaine –
tu seras comme un jardin arrosé,
comme une source d'eaux
dont les eaux sont intarissables» (Is 58, 6-11).

Oui, je suis convaincu que Jésus veille sur chacun de nous,
sur nos petites Arches, sur nos maisons, sur nos communautés,
qu'Il nous appelle à être des sources d'unité dans un monde si divisé,
qu'Il nous appelle où que nous soyons, quelle que soit notre vie,

à ne plus fuir le réel, à ne pas essayer de nous échapper dans des rêves, des illusions ou des théories,
à ne pas toujours tout remettre au lendemain, en imaginant que demain par magie nous serons autres,
mais à creuser le réel, à découvrir que l'eau jaillit de la terre
et que c'est en creusant dans la boue,
dans le réel plein de souffrances et de cassures,
que nous trouverons Dieu.

Dieu s'est fait chair, il s'est fait matière, il s'est fait mouvement, il s'est fait changement, il s'est fait souffrance :
je ne dois plus avoir peur.
Il est là dans sa parole, dans son eucharistie, dans le sacrement du pardon et le sacrement du pauvre,
Il est là dans ma propre pauvreté, dans ma fragilité et dans mes blessures.
Il est caché, mais Il est là.
C'est pourquoi nous pouvons chanter comme Marie qui porte en elle le corps caché de Jésus :

« Mon âme exalte le Seigneur,
Mon esprit exulte en Dieu mon Sauveur,
Il s'est penché sur son humble servante.
Désormais tous les âges me diront bienheureuse.
Le Puissant fit pour moi des merveilles :
Saint est son nom,
son amour s'étend d'âge en âge sur ceux qui le craignent.
Déployant la force de son bras,
il disperse les superbes,
Il renverse les puissants de leurs trônes, il élève les humbles,
Il comble de biens les affamés et renvoie les riches les mains vides,
Il relève Israël son serviteur, il se souvient de son amour,
de la promesse faite à nos pères,
en faveur d'Abraham et de sa race à jamais ! »

Luc 1, 46-55

TABLE DES MATIÈRES

Quatrième jour

« AIMEZ-VOUS LES UNS LES AUTRES COMME JE VOUS AI AIMÉS »

Cinquième jour

« MON DIEU, MON DIEU, POURQUOI M'AS-TU ABANDONNÉ ? »

Sixième jour

« BIENHEUREUX LES DOUX... »

Achevé d'imprimer le 12 octobre 2001 sur les presses de

Imprimerie D. Guéniot à Langres - Saints-Geosmes
Dépôt légal : octobre 2001 - N° d'imprimeur : 4489